听见

听力问题健康指导

主　　编　赵　宇

副 主 编　孟照莉　彭　珊

编　　委（按姓氏笔画排序）

尹慧琳（四川大学华西医院）　郑永波（四川大学华西医院）
刘昊天（四川大学华西医院）　孟照莉（四川大学华西医院）
李　波（四川大学华西医院）　赵　宇（四川大学华西医院）
周　鹏（四川大学华西医院）　彭　珊（四川大学华西医院）

编写秘书　尹慧琳　崔智渊

绘　　图　曾小兰

人民卫生出版社

·北　京·

图书在版编目（CIP）数据

听力问题健康指导 / 赵宇主编 . -- 北京 ： 人民卫生出版社，2025. 8. --（听见）. -- ISBN 978-7-117-38338-7

Ⅰ. R764.430.9

中国国家版本馆 CIP 数据核字第 2025KX3371 号

听见——听力问题健康指导

Tingjian——Tingli Wenti Jiankang Zhidao

主　　编：赵　宇
出版发行：人民卫生出版社（中继线 010-59780011）
地　　址：北京市朝阳区潘家园南里 19 号
邮　　编：100021
E - mail：pmph @ pmph.com
购书热线：010-59787592　010-59787584　010-65264830
印　　刷：北京顶佳世纪印刷有限公司
经　　销：新华书店
开　　本：889 × 1194　1/32　　印张：5
字　　数：104 千字
版　　次：2025 年 8 月第 1 版
印　　次：2025 年 8 月第 1 次印刷
标准书号：ISBN 978-7-117-38338-7
定　　价：39.00 元
打击盗版举报电话：010-59787491　E-mail：WQ @ pmph.com
质量问题联系电话：010-59787234　E-mail：zhiliang @ pmph.com
数字融合服务电话：4001118166　E-mail：zengzhi @ pmph.com

感谢

“罩爸带你听”爱耳慈善基金

对本书出版的支持！

罩爸带你听
HELP YOU HEAR FOUNDATION

主编简介

赵　宇　教授、主任医师、博士研究生导师。

四川大学华西临床医学院（华西医院）耳鼻咽喉头颈外科主任、听力与言语康复中心主任、耳鼻咽喉头颈外科学系主任、听力与言语康复学系主任。中华医学会耳鼻咽喉头颈外科分会常务委员、听力学组副组长；中国医师协会耳鼻咽喉头颈外科医师分会听力学组组长；中国听力医学发展基金会科普专家委员会主任委员；“罩爸带你听”爱耳慈善基金发起人。

前言

亲爱的读者朋友们：

欢迎来到奇妙的听力世界！海伦·凯勒曾经说过："盲隔绝了人与物，聋隔绝了人与人"(Blindness separates us from things but deafness separates us from people)。听觉是人类感知世界、进行社交沟通的主要通道，如果听觉出现了问题，那么患者只能生活在无声的世界。在这套科普丛书中，我们将为您揭开听力的神秘面纱，探索那些您或许从未注意到的听力奥秘，了解和帮助我们的耳朵，提高耳健康水平。

想象一下，我们的耳朵如同小小的音乐厅，声音就是那些跳跃的音符，它们穿过耳道，在我们的内耳里翩然起舞，最终在大脑中奏响美妙的乐章。但在这场音乐会中，有时会出现一些小插曲，所以在《听见——听力问题健康指导》一书中，我们将和您一起了解这些小插曲背后的故事，和您分享珍爱耳朵的方法。首先，我们将走进孩子们的听力世界。您知道吗？分泌性中耳炎、感音神经性听力损失和耳毒性药物都可能成为孩子们听力的“隐形杀手”，了解这些知识可以帮助您成为孩子们听力的守护者，及时发现那些可能影响他们听力的信号。接下来，我们将和您聊聊成年人的听力保护方法，帮助您在日常生活中更好地保护听力。最后，我们将共同关注老年朋友的听力问题。老年性听力下降和言语分辨率下降，这些看似不可避免的问题，其实背后有着许多我们应该了解的知识和科学的应对方法。

如果您或您爱的人正面临听力问题挑战，那么《听见——听力言语康复指导》一书或许可以帮助您。首先，我们将为您揭开助听器的神秘面纱，解答您关于助听器的常见困惑，一起探索如何挑选一款适合自己的助听器。接下来，我们将带您深入了解已经成功帮助很多人重获听力的“神器”——人工耳蜗，以及何时需要考虑植入人工耳蜗。最后，我们将共同关注那些被忽视的康复训练方法，教您在听力受损后如何重新听懂这个世界、如何用语言清晰地表达，帮助我们的耳朵和大脑重塑听觉－言语－语言沟通。

在丛书的编写过程中，我们努力让复杂的耳科学变得简单、有趣，并通过形象的漫画予以生动展现。希望这套科普丛书能成为您的朋友，无论是在保护耳朵的路上，还是在寻求听力相关问题解决方案的旅途中，都能为您提供帮助和启发。

好，让我们一起踏上这段旅程，探索耳朵的奥秘吧！

赵宇

2025年7月

自测一下您对于耳健康问题的了解程度

Q1

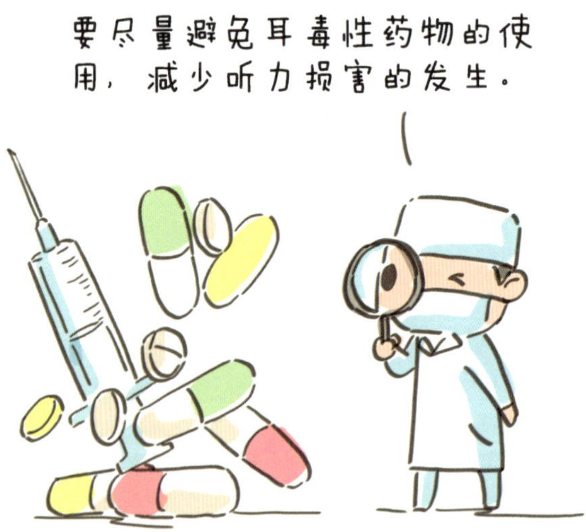

Q2

需不需要掏“耳屎”呢？

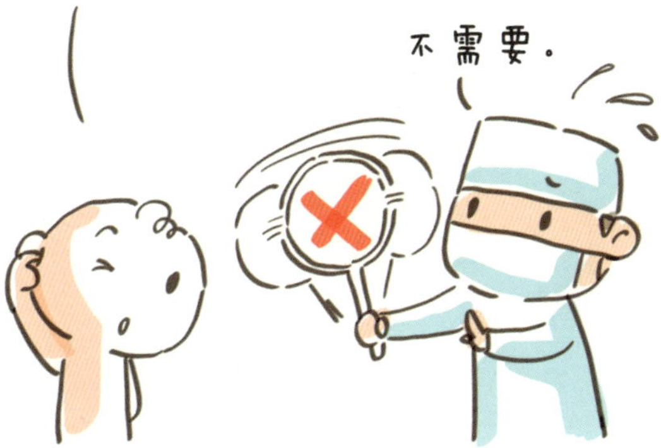

如果感到耳朵“堵了”，应该到医院找医生看看。

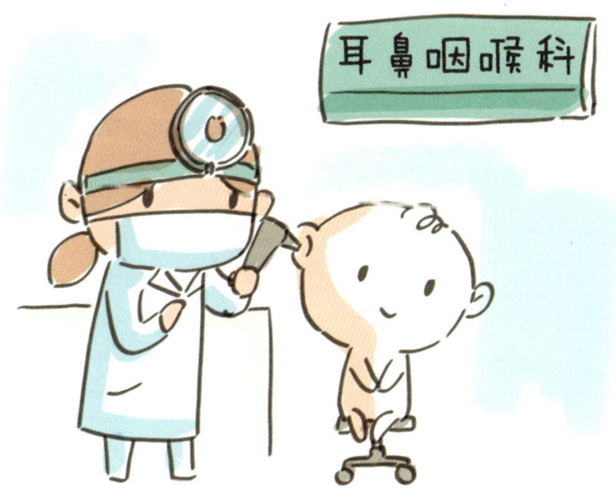

Q3

人老耳背，耳鼻咽喉科管不管呢？

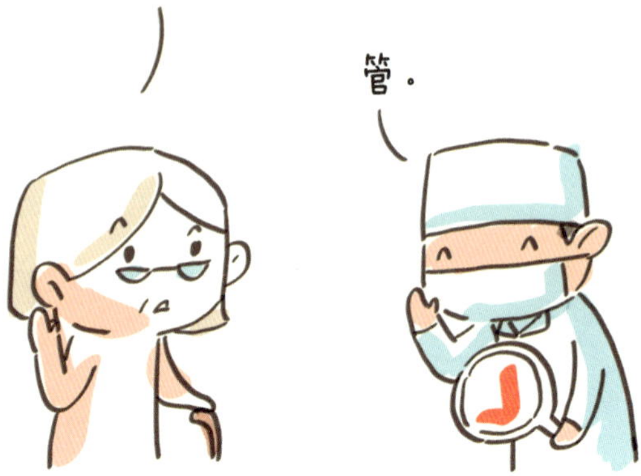

听力健康与老年人生活质量和认知功能息息相关，听力出现问题，需要尽早干预。

Q4

助听器会越戴越聋吗？

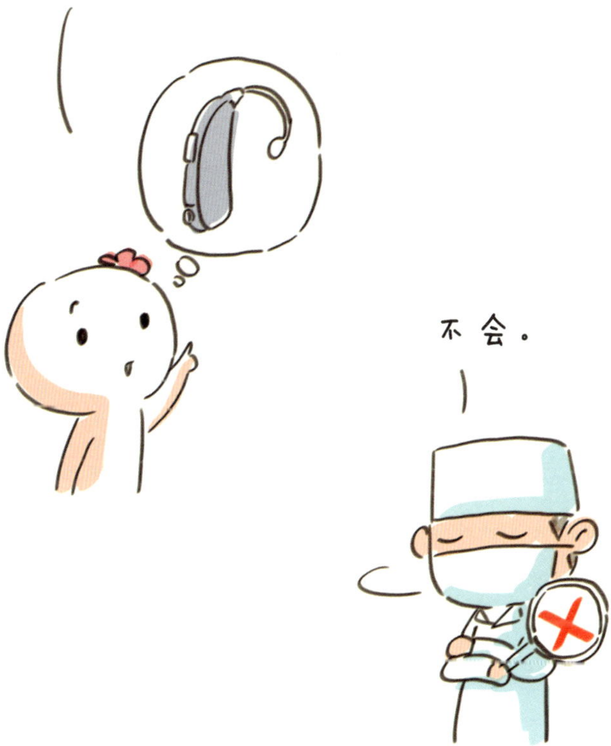

依据科学、规范的听力检测报告进行正规调试的助听器不会损伤佩戴者的听力。

Q5

人工耳蜗是万能的吗？

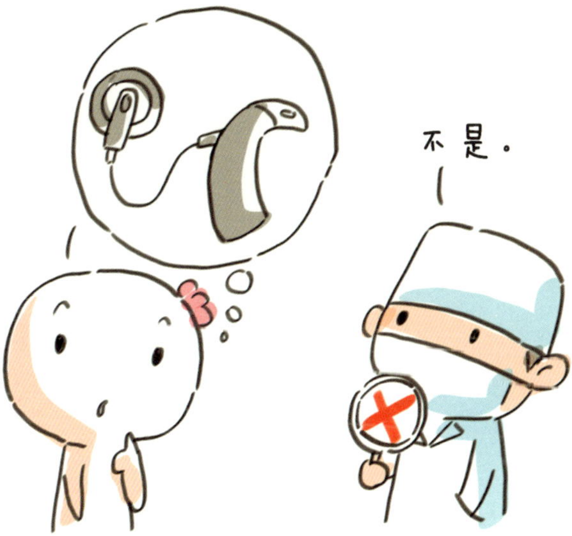

通过植入人工耳蜗，可以电极模拟受损的感音神经，帮助患者恢复对声音的感知。

人工耳蜗并不适用于所有听力损伤患者。

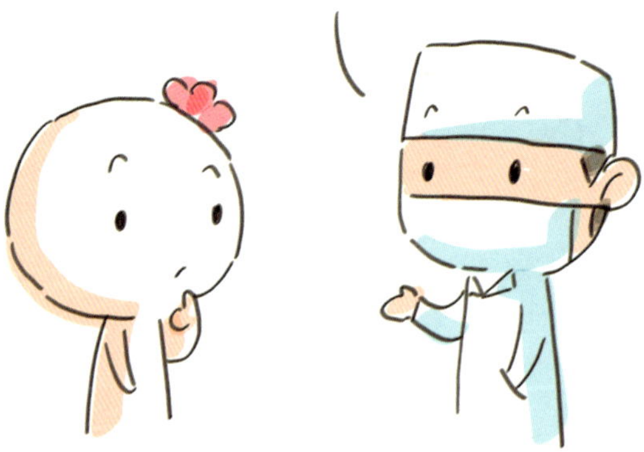

Q6

听得见能够代表听得懂吗？

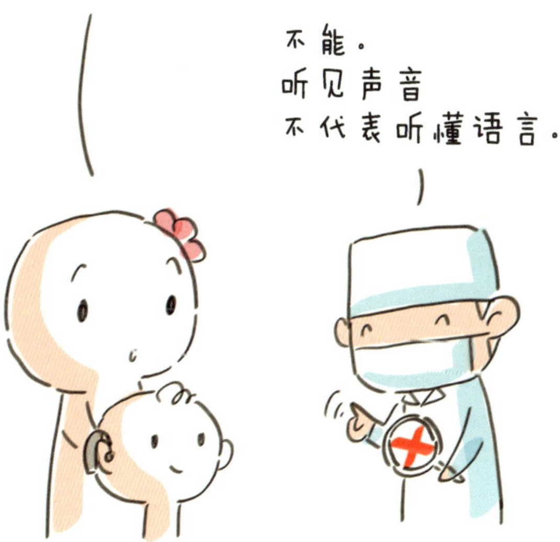

从听见到听懂，是一个循序渐进的过程，患者需要进行系统的听觉-言语-语言康复训练。

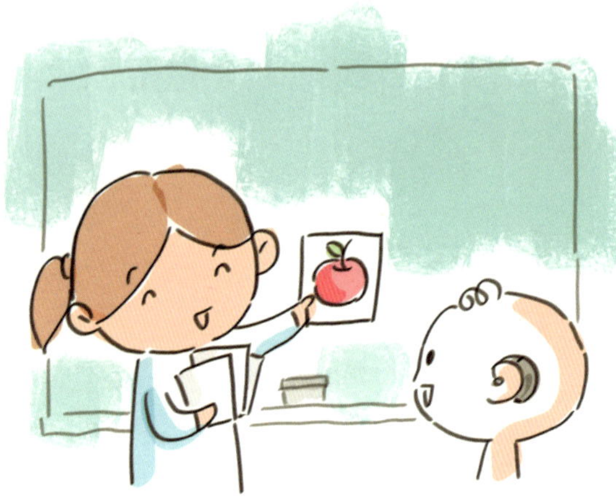

目 录

第一章 婴幼儿及儿童常见听力问题 /001

分泌性中耳炎 /003

感音神经性听力损失 /017

耳毒性药物 /021

如何守护小耳朵的健康 /028

第二章 成年人的听力保护 /041

掏不掏耳朵 /042

噪声防护 /062

第三章　老年人常见听力问题　/087

老年性听力下降　/090

被忽视的"言语分辨率"　/100

附录　耳朵的宫内养成记　/109

第一章

婴幼儿及儿童常见听力问题

常有忧心忡忡的父母带着孩子前来就诊。

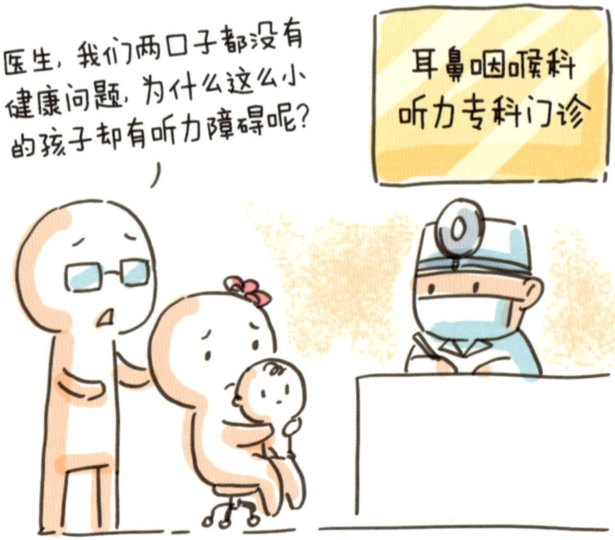

宝爸宝妈们先不要慌，我们列出了几个临床上家长较为关心的听力障碍相关话题，为大家排忧解惑。

分泌性中耳炎

不知道在孩子的成长过程中，家长有没有遇到过下面这些情况？

爱吐奶、呛奶的小婴儿，在做听力筛查时，有时正常，有时不太正常。

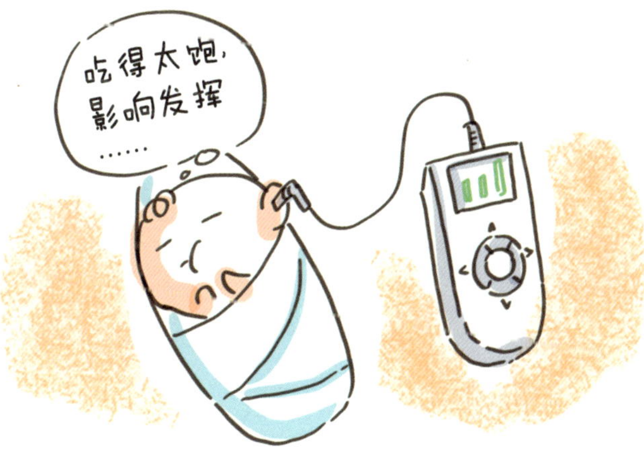

感冒过后的儿童，对声音的反应明显不如从前了。

这些情况，真不是小朋友顽皮，而是他们有可能遇到了分泌性中耳炎。

在细说分泌性中耳炎的治疗之前，我们先来科普一个小知识：在我们的中耳，存在一个结构，被称为咽鼓管。

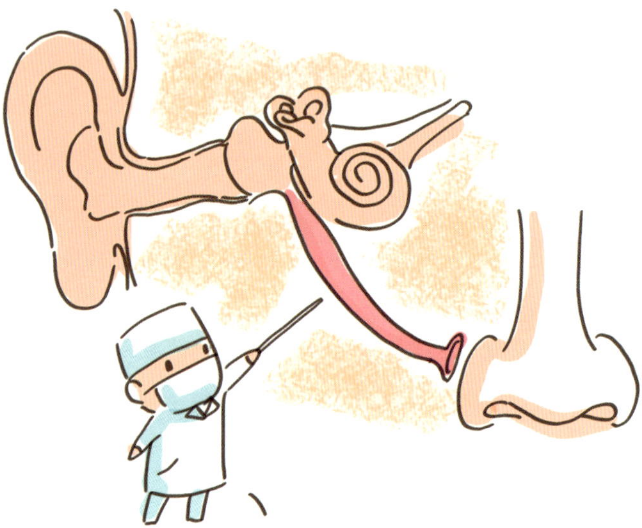

这是一根连通鼻子（鼻咽部）和耳朵（中耳鼓室）的管道。

咽鼓管的主要作用包括平衡耳朵的内外气压以及将中耳产生的“垃圾”排出去等。

成年人和小朋友在身体结构方面有很多不同，其中就包括咽鼓管的不同。

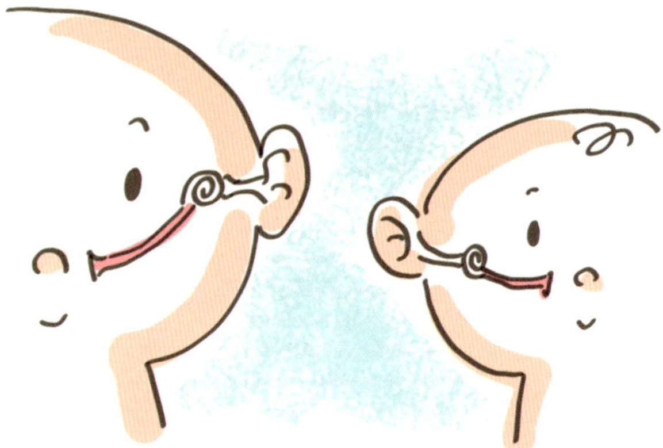

与成年人的咽鼓管相比，
小朋友的咽鼓管更加短、平、宽。

大家都知道“水往低处流”，我们将咽鼓管比作是一根排水管道，平坦管道（小朋友）的排水能力自然比陡峭管道（成年人）的排水能力要弱一些，而且管道本身也更加容易堵塞。

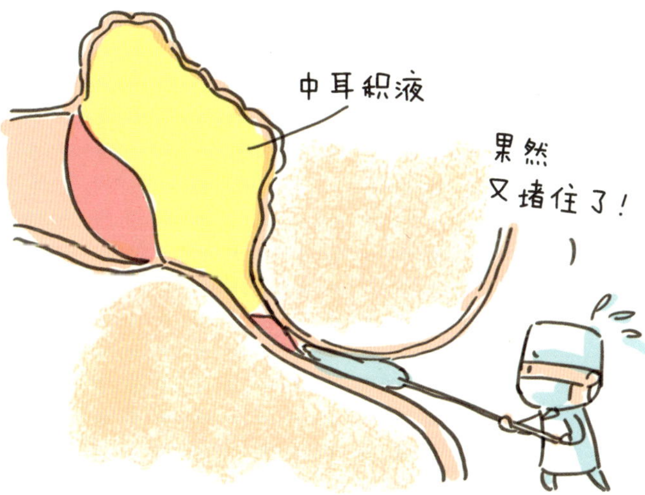

这就是为什么小朋友更容易患分泌性中耳炎。

得了分泌性中耳炎并不好受，它常会让患者出现耳朵闷胀、听力下降等症状。

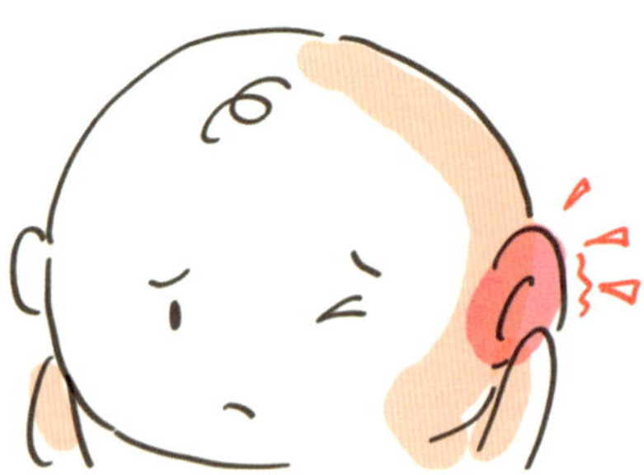

那些还不能清晰地表达自己感受的儿童，常表现为注意力不集中、对声音反应差、不理睬他人等。

一旦出现了上述症状，尤其是那些爱吐奶、呛奶的婴儿以及经常感冒或患有鼻炎的小朋友，家长一定要警惕分泌性中耳炎。

但也不用过度紧张、焦虑。
大约50%患分泌性中耳炎的孩子不需要任何治疗就能自行痊愈。

如果单纯由于分泌性中耳炎出现听力损失，程度往往不会过于严重，并且受损的听力在中耳炎治愈后会慢慢恢复至正常水平。

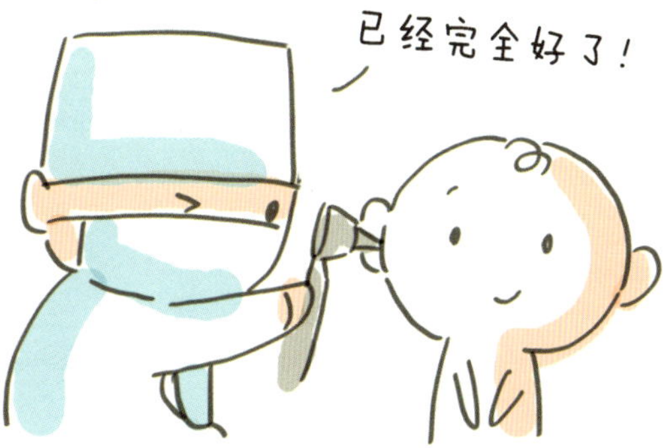

部分患分泌性中耳炎的小朋友，如果合并鼻炎等问题，可以通过治疗鼻炎来帮助小耳朵恢复健康。

如果3个月后分泌性中耳炎不能被治愈或自愈，就需要考虑行鼓膜置管术啦。

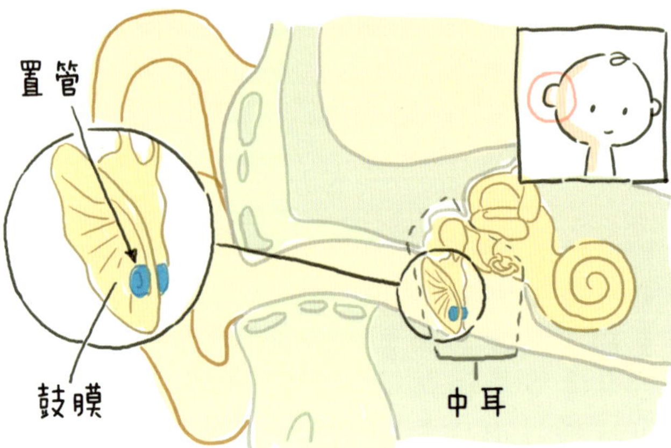

鼓膜置管术，就是给鼓膜装上一个小管子，让中耳好好通气。

总之，得了分泌性中耳炎不要怕，听医生的话，医生会选择最适合小朋友的方式，保护小耳朵的健康。

感音神经性听力损失

很多家长看见“神经性”三个字就会害怕。

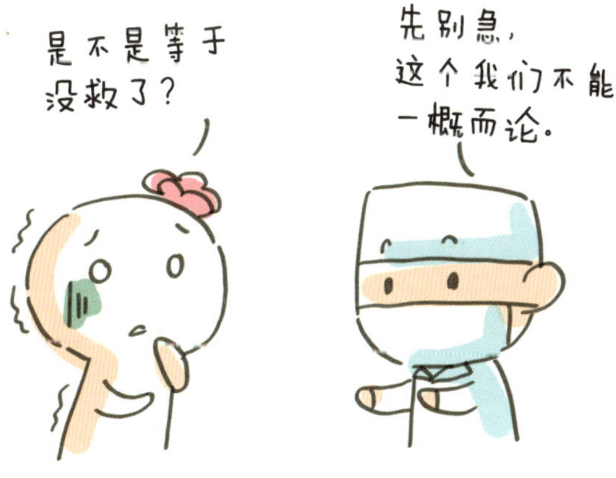

其实，感音神经性听力损失是依据病变部位划分的一类听力损失，这一大类听力损失里面有很多种情况。

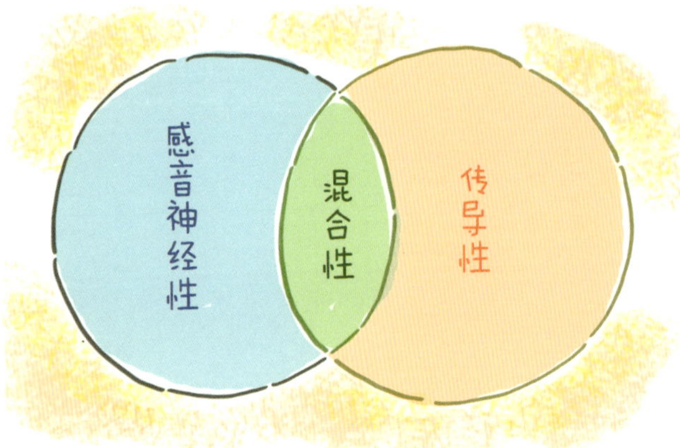

造成感音神经性听力损失的原因多得让人数不过来。

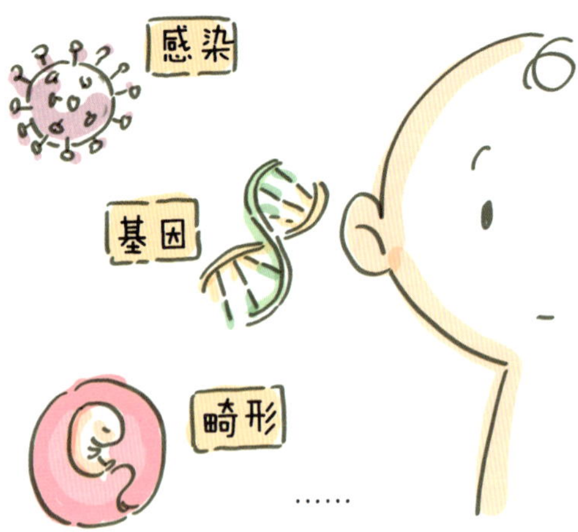

医生会根据孩子的实际情况，做CT、MRI、基因检测等。

除了找原因，我们更需要着眼当下，不要让孩子的听力损失影响他的正常生活。

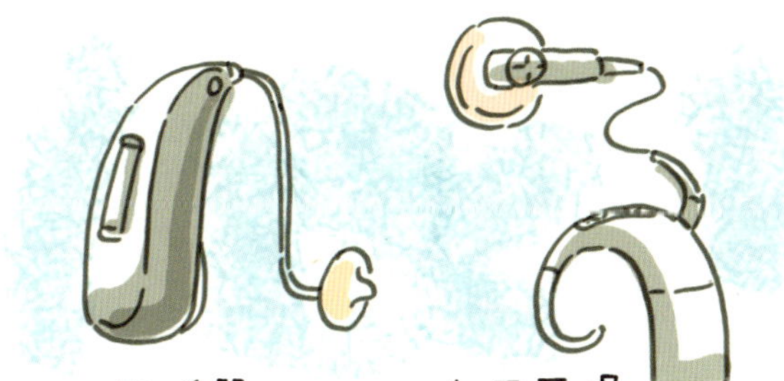

助听器　　人工耳蜗

当医生明确孩子需要选择助听器、人工耳蜗等助听装置时，家长千万不要等待、犹豫。

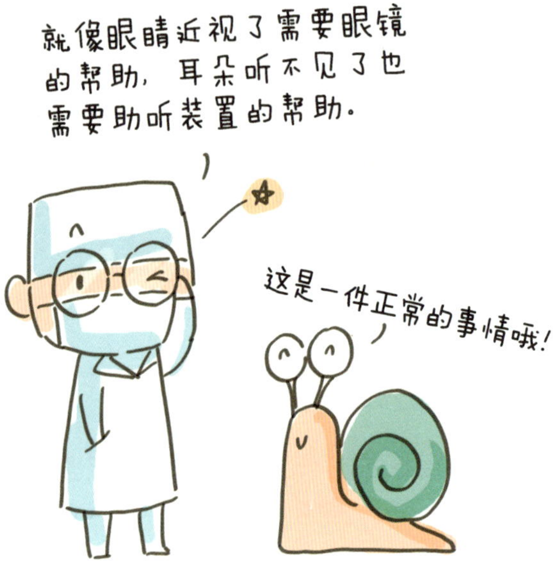

耳毒性药物

你有没有听过这样的故事？

我们村头那个三娃儿
你记得不？

哪个三娃儿啊？
村头四五个三娃儿。

就是那个小时候打了一针
就啥都听不到的
三娃儿啊！

哦哦！想起来了，
应该是用了
耳毒性药物吧？

耳毒性药物，顾名思义是指不良反应主要危及第Ⅷ对脑神经（前庭蜗神经）的药物。

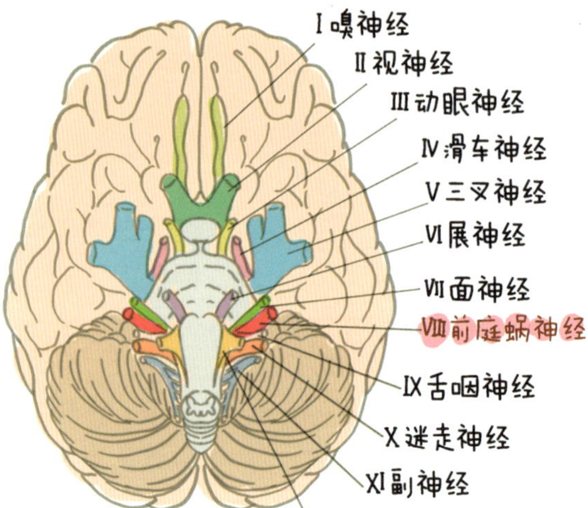

脑神经底面观

中毒症状如下。

耳鸣

耳聋

眩晕

平衡失调……

目前已知的耳毒性药物有近百种，常见的如链霉素、卡那霉素等。

很多家长有这样的担心：

并不是！耳毒性除了与用药剂量有关外，还与很多因素有关，而且每个人的个体差异很大，

即同样的药物和剂量，用在不同人身上，可能就会产生不同后果。

如果某人有耳毒性药物中毒（即"一针致聋"）的家族史，那么他一定要谨慎使用耳毒性药物。

另外，有研究表明，mtDNA 12S rRNA基因是造成氨基糖苷类药物性耳聋的重要原因。

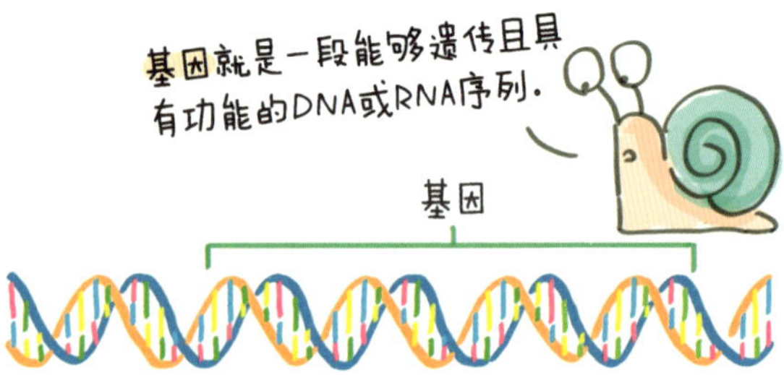

在很多城市，新生儿足底血筛查是会查这个基因的哦！

如何守护小耳朵的健康

与孩子沟通的一大难题就是他们无法准确地表达自己的感受、说清楚自己的情况，于是狡猾的听力疾病就会借此机会危害孩子的健康。

婴儿时期，医生会在新生儿出生3天内为其进行第一次听力筛查。

这就像一场考试，旨在筛出那些患有会影响后续成长的听力损失的小朋友。

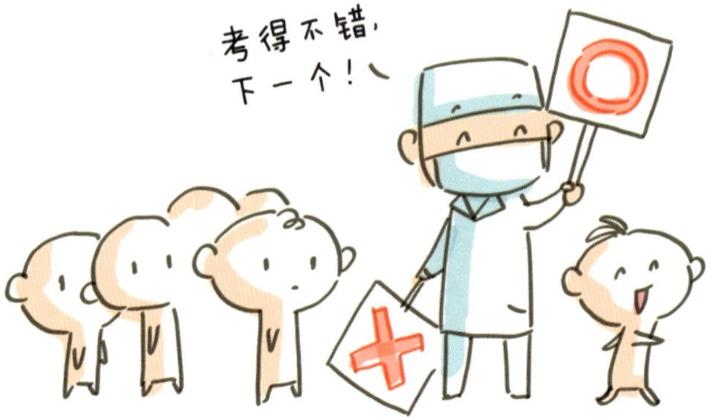

过关的小朋友后面还要定期进行**追声测试**。

有的小朋友不能一次性过关，就要进行一次次的“听筛补考”。

所谓**迟发性听力损失**，就是指出生时听力正常，在生长发育过程中出现的永久性听力损失。

除了定期测试外，家长还要观察孩子对声音的反应情况。

这些情况都有可能造成听力下降。

具有新生儿听力高危因素的小朋友，一定要定期复查听力！

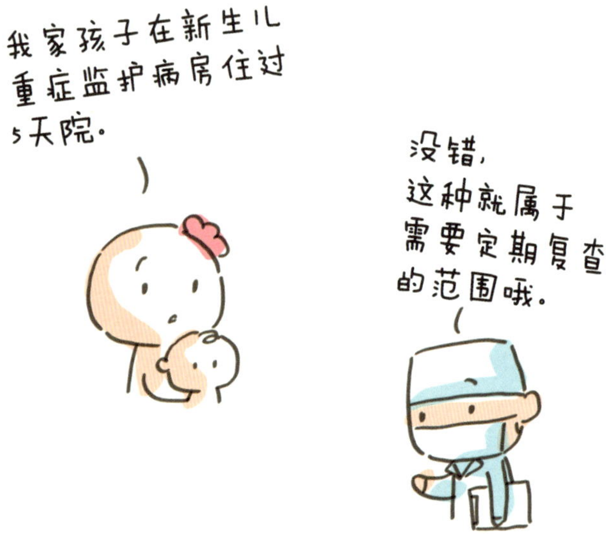

听力筛查没通过的小朋友的家长不要慌，
孩子应该什么时候复查呢？
请家长牢记国际上最新提倡的“123”原则。

1 个月内复查

↓

2 个月内确诊
（如果听力有问题）

↓

3 个月内干预

婴幼儿乃至儿童时期，家长一定要关注孩子的情况。

另外，还要注意孩子说话是否清晰？

孩子说话不清晰，可能不是“贵人语迟”、舌系带太短、孤独症，而有可能是**听力问题**。

听不清楚别人讲话，自然就不会说话；说不清楚，自然就不愿意和他人交流。

如有这些异常情况，一定及时前往听力专科就诊哦。

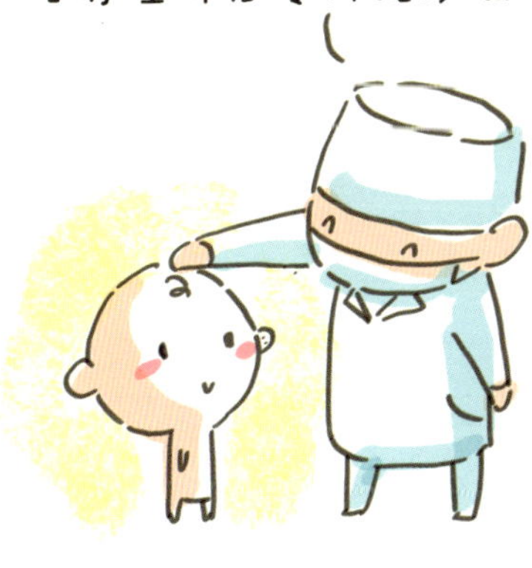

第二章

成年人的听力保护

掏不掏耳朵

耳屎，医学名称叫耵聍，是由外耳耵聍腺产生的一种分泌物。

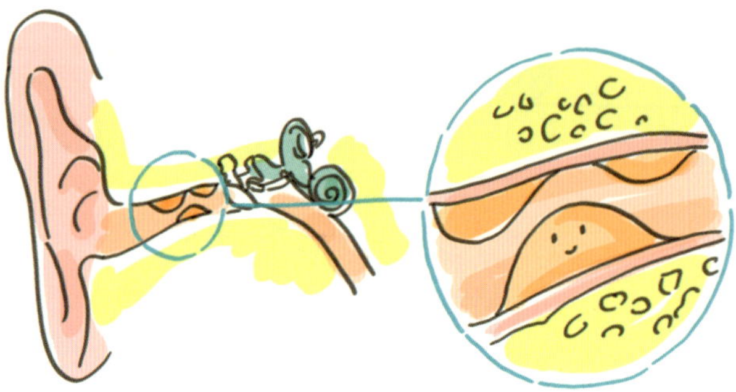

它具有黏稠性、防水性、保护性及杀菌性。

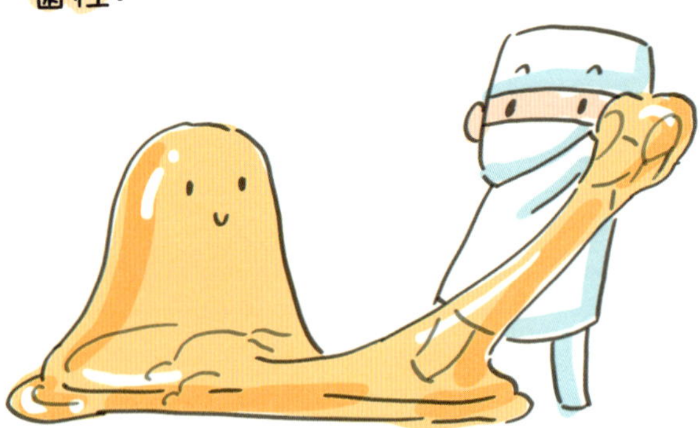

耵聍可以捕获并清除外耳中的死皮细胞、灰尘和其他物质。

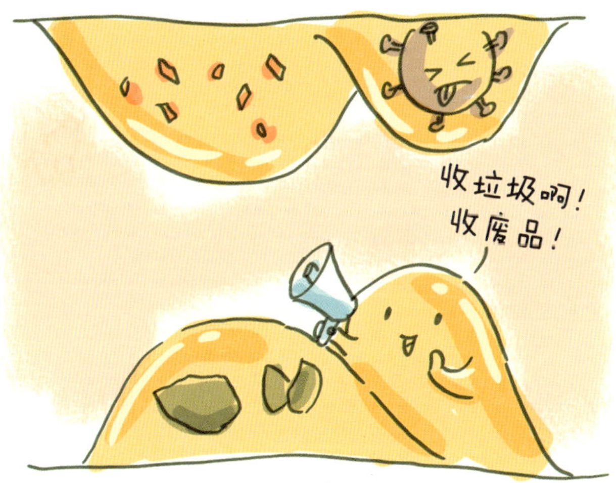

有时，耵聍会积累并变干，在外耳中形成坚硬的耵聍栓塞。

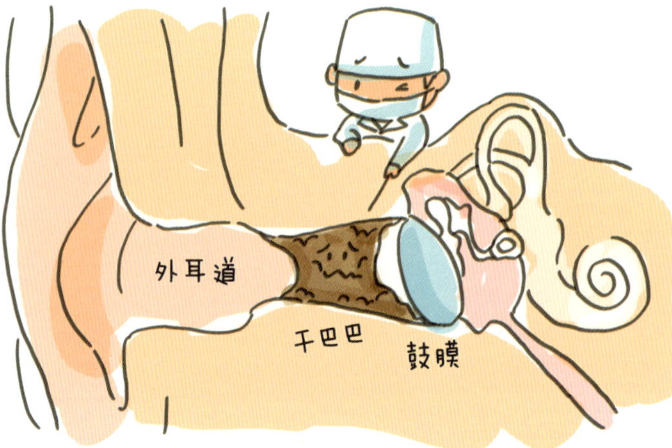

十个人，九个会问下面这个问题。

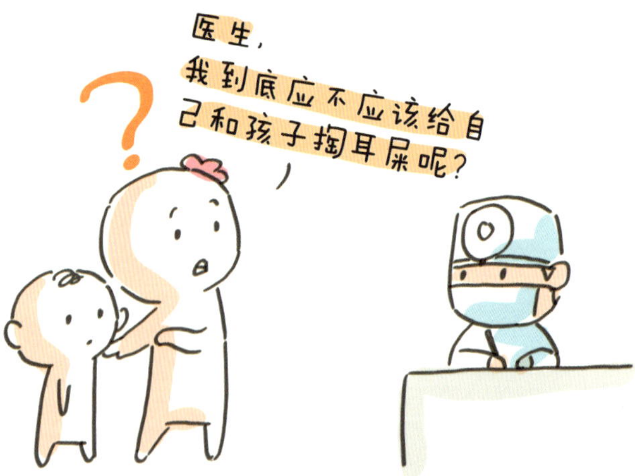

我们的答案是，

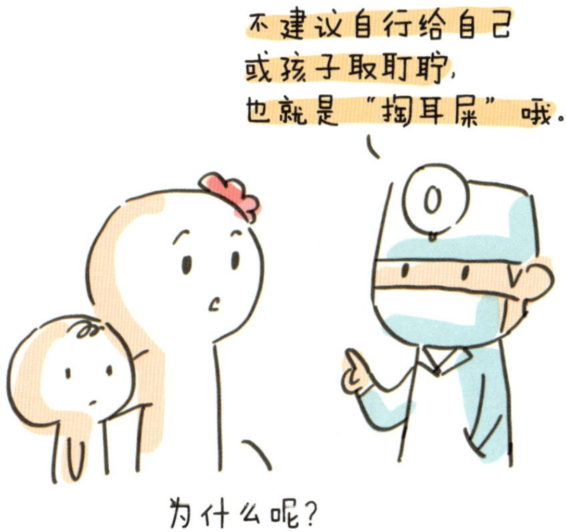

因为耳道里黑黑的，不用额镜打光或电耳镜，是看不清楚内部情况的。

耳道不是一条直的通道，是弯曲且狭窄的通道，而且每个人耳道的弯曲和狭窄各有不同。

一不注意就会挖伤外耳道皮肤，造成疼痛、出血，还可能并发细菌感染。

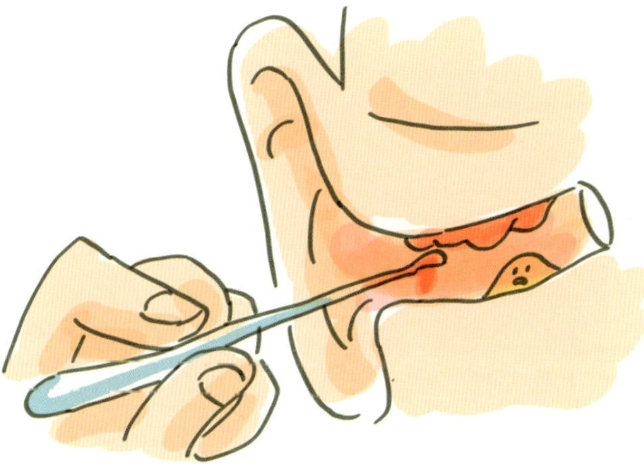

严重的还可能挖伤鼓膜，造成听力下降并引发中耳炎。

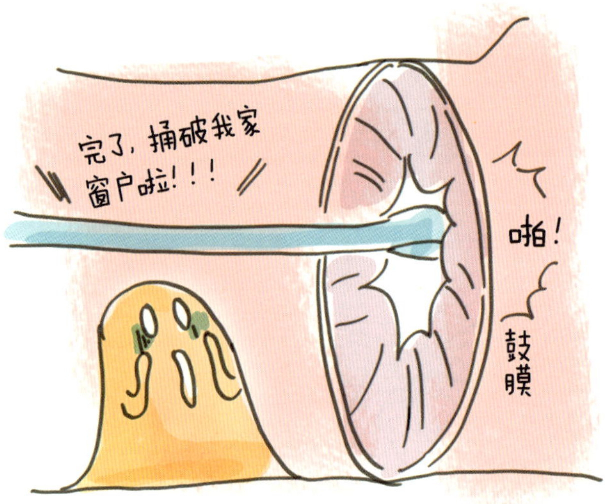

那可不可以在医院以外的地方"采耳"呢？
来嘛，这是我爷爷传下来的挖耳勺哦！
祖传手艺

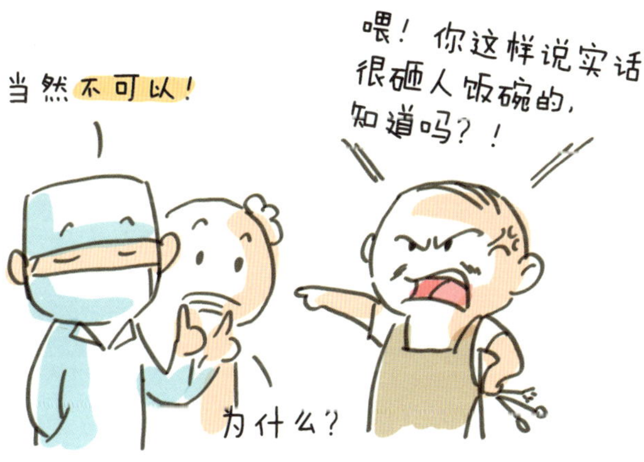
当然不可以！
喂！你这样说实话很砸人饭碗的，知道吗？！
为什么？

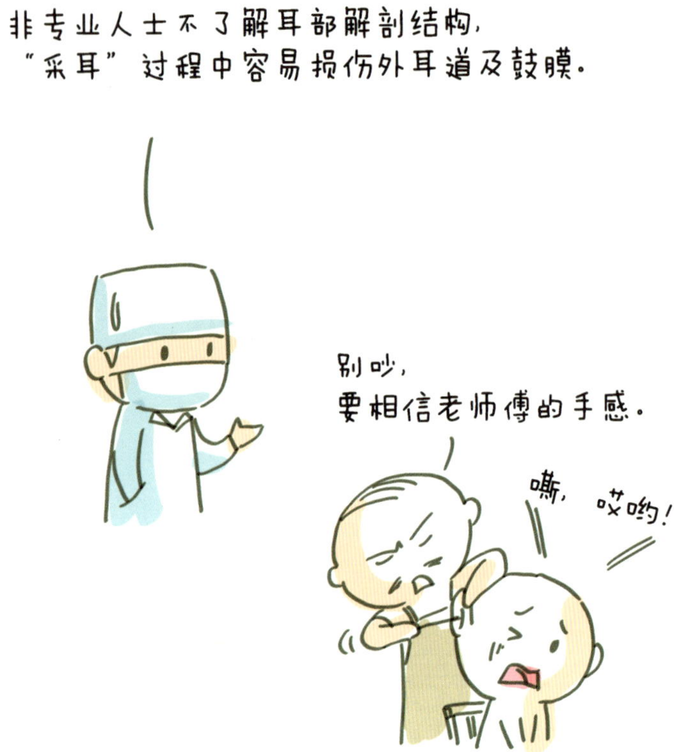
非专业人士不了解耳部解剖结构，
“采耳”过程中容易损伤外耳道及鼓膜。
别吵，
要相信老师傅的手感。
嘶，
哎哟！

采耳工具消毒情况不明，容易引发细菌、真菌或病毒感染，严重时久治不愈。

一般情况下，随着我们吞咽、咀嚼、讲话等，在颌面部肌肉运动的同时，耵聍也会跟着一起运动，这就是耵聍会自行排出的原因。

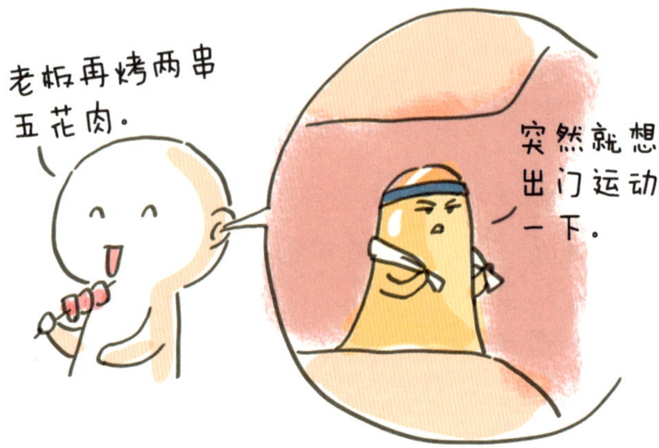

如果一直没有看到耳屎
排出来怎么办呢？

对于这种情况，可以到医院让医生检查
是否有需要取出的耵聍。

有可能耳屎自己排出耳道，掉出来了，我们没有注意到。

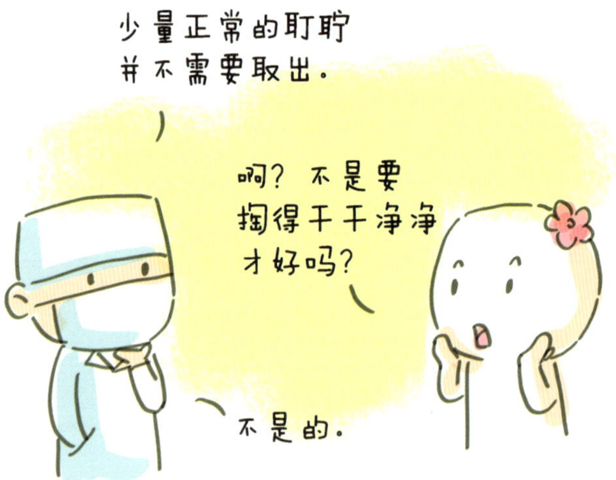

耵聍具有保护外耳道的功能，是守护耳健康的一大“功臣”，我们不能随意去“破坏”它们。

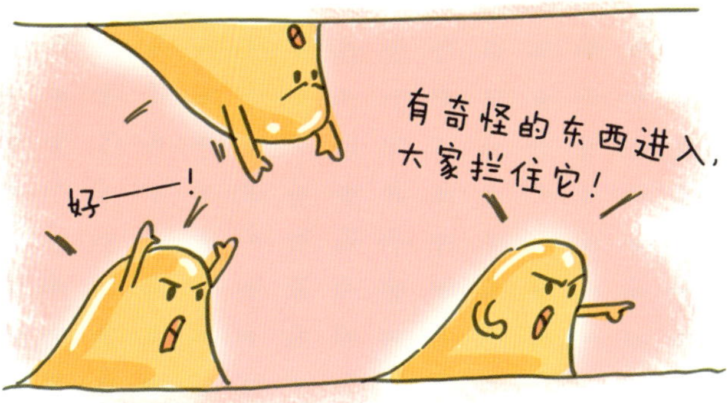

只有在耵聍堵塞耳道、影响听力或虽然少量但影响医生观察耳道情况、影响听力检查时才需要取出。

如何发现耳道被耳屎堵住了呢？

我们可以注意以下几点。

电筒照见耳道被黄色、褐色或黑色的团块状或糊状的东西堵塞。

常规的听力筛查没有通过，但是出生时或之后儿童保健科的听力筛查是通过的，且家长没有发现孩子的听力有下降。

注意：这种情况虽然很可能是耵聍栓塞引起的，但也应尽快到医院就诊排查。因为也有可能存在其他听力问题。

总是挠耳朵，说耳朵痒，感觉耳朵堵。

或是摇晃头部、吃东西时感觉耳内有响声。

如果是油耳且耵聍分泌较多、较快，可以定期到医院排查、清理。

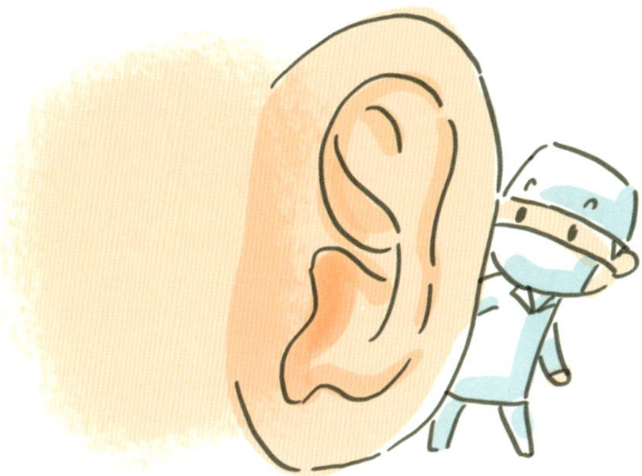

油耳是正常耳，大家不要误以为是中耳炎流脓。

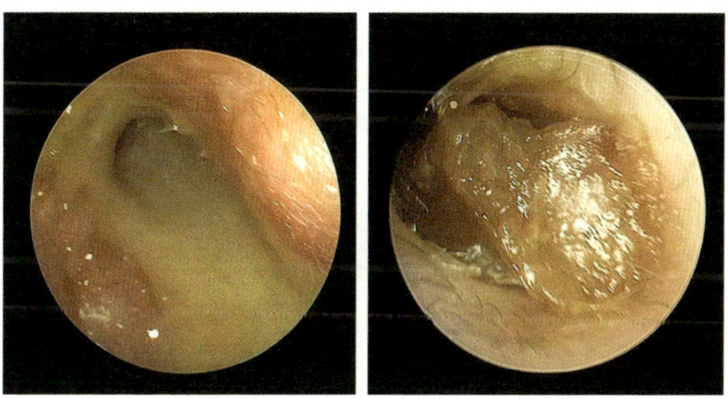

中耳炎流脓　　油耳

耳镜鉴别图

如果佩戴了助听器，那么也需要定期到医院清理耵聍。

因为在佩戴助听器时会将耵聍往外耳道深部推挤。

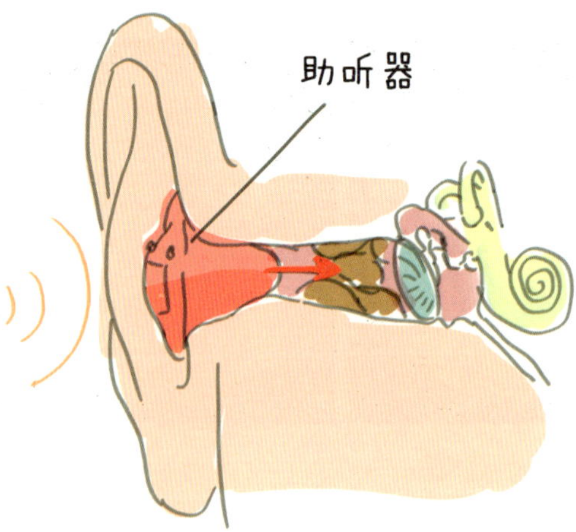

时间久了，耵聍就会堵塞在外耳道内，
影响助听效果。

噪声防护

大家知道导致年轻人听力下降的主要原因是什么吗?

噪声无处不在，在工作场所和生活环境中都存在。

噪声通常是娱乐活动的一部分。

长时间或经常暴露在噪声中，不仅会影响人们的情绪，同时也会对人体各个系统造成严重危害。

如心血管系统、神经系统、内分泌系统及消化系统，都可因噪声刺激而受到一定程度的损害。

但噪声损害听觉系统造成的永久性听力障碍是其中最为严重的后果。

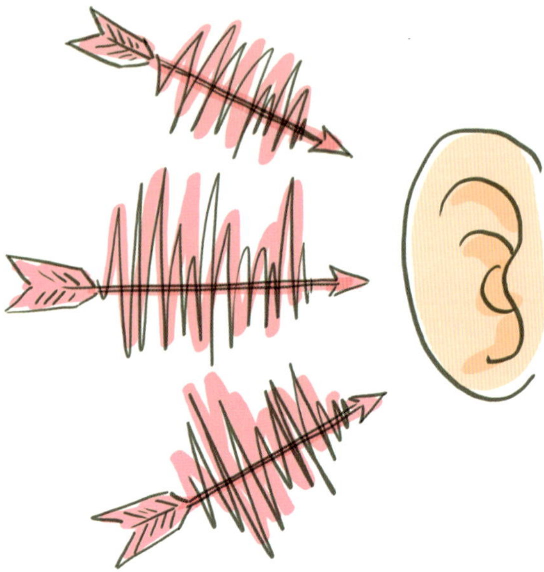

嗓声的危害这么大，大家一定要尽量远离。如果出现了以下情况，那么您很可能已经处于噪声环境了。

需要提高嗓门儿来理解交谈内容。

无法理解距离自己一臂距离的人说的话。

耳部出现疼痛或耳鸣。
嗡——!

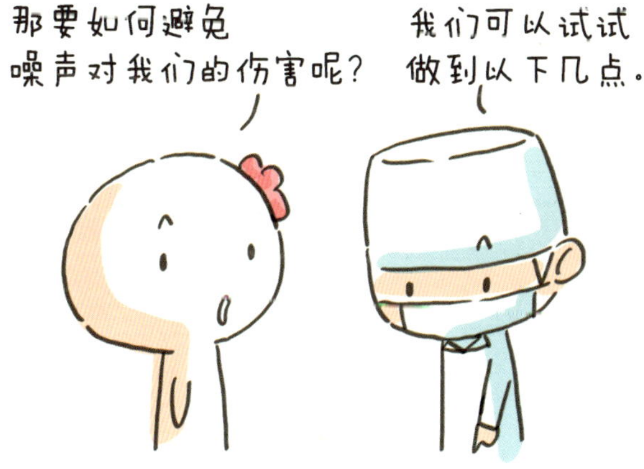
那要如何避免
噪声对我们的伤害呢?
我们可以试试
做到以下几点。

降低噪声

现在年轻人喜欢用耳机来听音乐或者学习，但如果使用不当，就会在不知不觉中损伤听力，尤其是损伤高频听力。

建议大家注意以下几点来减少噪声的暴露。

耳机的选择

覆耳式　贴耳式　耳塞式　入耳式

在耳罩式（如覆耳式、贴耳式）耳机与入耳式、耳塞式耳机的选择上，耳罩式耳机距离鼓膜更远，而且还能防止外面的噪声进入耳内，在环境嘈杂时，比入耳式、耳塞式耳机更安全。

大家要注意：骨传导耳机只是绕过了外耳和中耳，对于耳蜗的影响其实与入耳式、耳罩式等耳机并无本质区别。

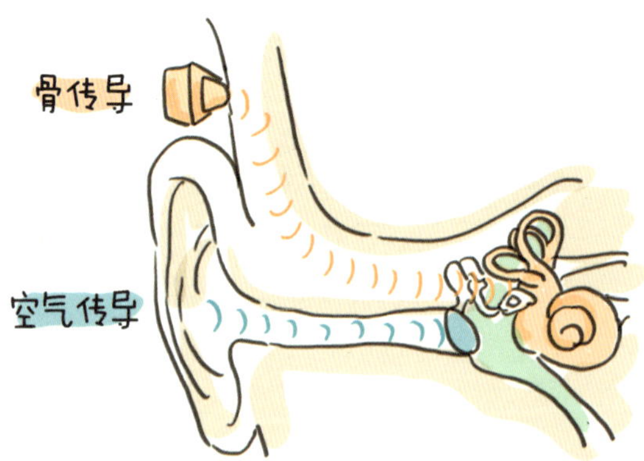

用耳机听音乐的注意事项

怎么你们还想
上60天班，放60天假？
不是的。
我都没有
这待遇。

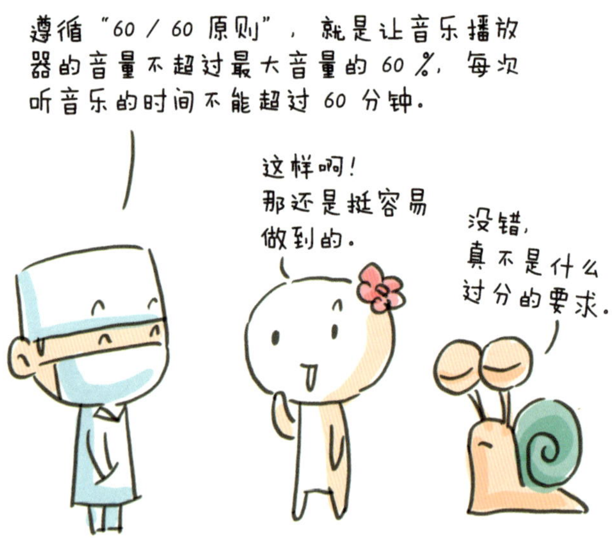
遵循“60 / 60 原则”，就是让音乐播放
器的音量不超过最大音量的 60%，每次
听音乐的时间不能超过 60 分钟。
这样啊！
那还是挺容易
做到的。
没错，
真不是什么
过分的要求。

在噪声环境中尽量不使用耳机

比如在地铁、火车、飞机上最好不使用耳机听音乐。

第二章 成年人的听力保护

身处嘈杂环境时，需要更大的音量才能听清楚耳机里的声音。

这时高强度的声音会对内耳产生不可逆的损伤。

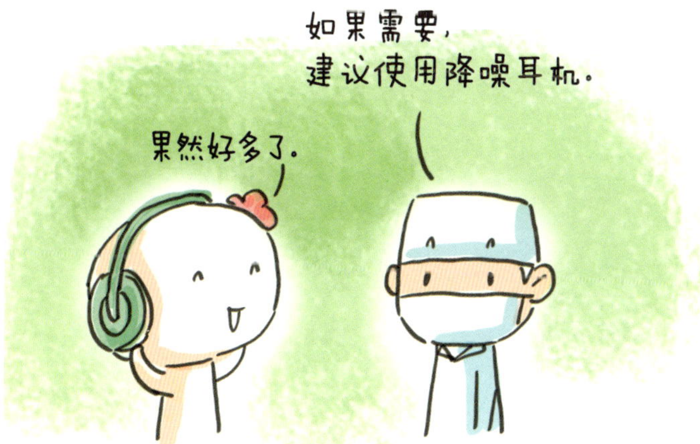

不要戴着耳机睡觉

在睡眠中听音乐，大脑虽然处于休息状态，

但感受声音的内耳毛细胞仍然在工作，长时间的声音刺激会造成毛细胞损伤。

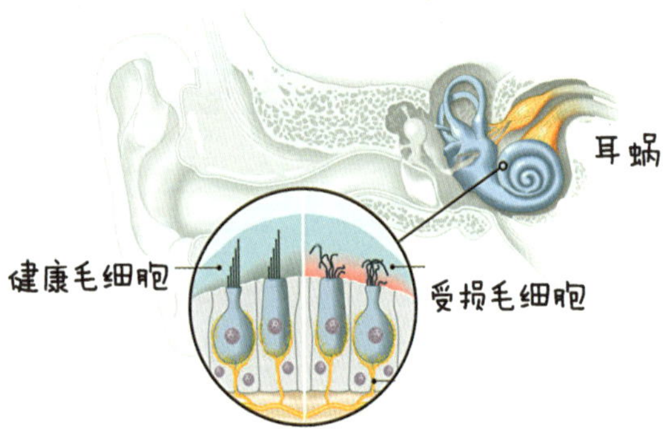

在嘈杂的环境中注意保护耳朵

如果您的工作环境噪声很大，而且您需要长时间处于这种环境，

或者您经常去KTV、酒吧、体育赛场和其他声音嘈杂的场所，

建议您做好以下措施，对声音暴露进行限制。

请使用耳塞进行听力保护

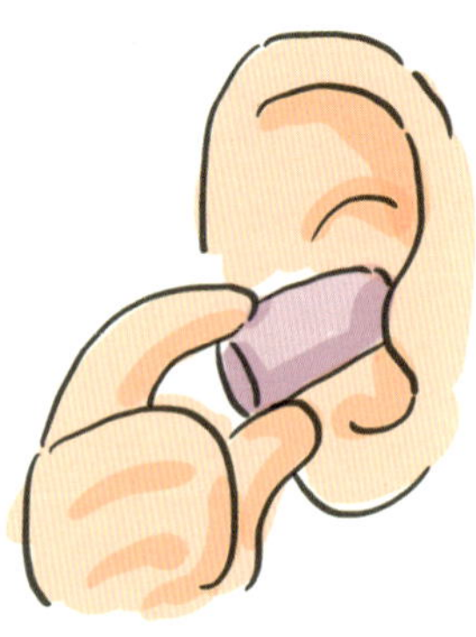

如耳塞佩戴合适，可明显降低噪声的音量。如果使用正确，耳塞可将噪声暴露降低5～45dB，具体取决于耳塞的种类。

离喇叭、音箱等声源远一点儿

尽量减少待在嘈杂环境中的时间

如果您在做好噪声防护的同时还能减少待在嘈杂环境中的时间，就能更好地保护听力。

在嘈杂的环境中，尝试定期休息。

休息时移到更安静的区域。

这可以帮助感音细胞从噪声暴露引起的疲劳中恢复，并降低听力损失的风险。

监测所处环境的噪声大小

通常噪声暴露不要超过80dB，且一周内处于噪声环境的时间不要超过40小时。

噪声等级

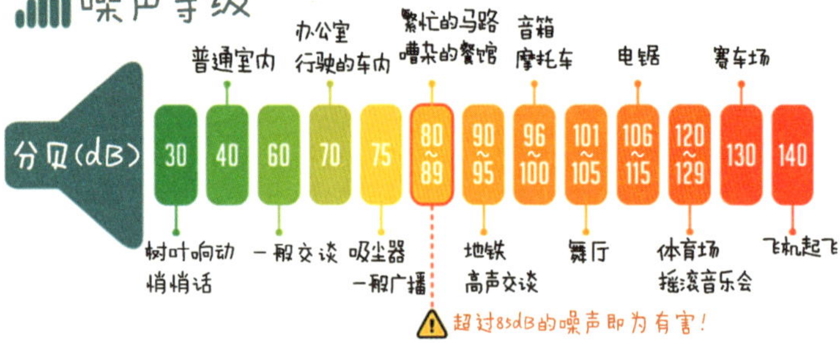

我们可以通过以下方式监测噪声大小。

使用监测个人噪声暴露的智能手机应用程序。

这些应用程序可帮助人们监测设备播放声音的音量，也可监测环境中的噪声暴露水平。

部分智能手机内置“安全聆听”功能。使用这些功能可以帮助人们做出安全聆听的选择。

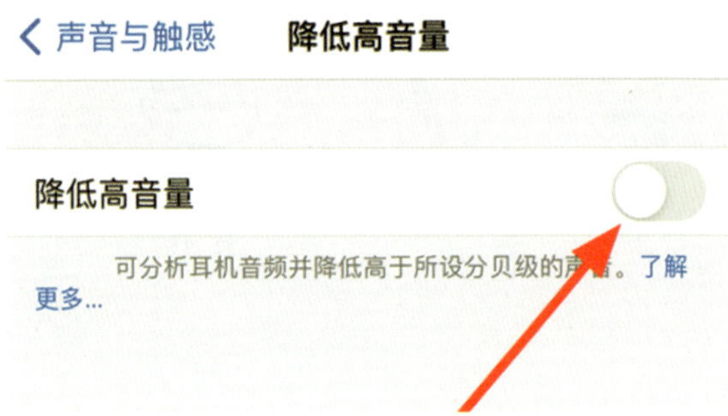

这样我们就可以通过获取所处环境的噪声水平来判断这个环境是否安全啦。

第三章

老年人常见听力问题

外婆，最近有没有按时吃抗高血压药（俗称“降压药”）啊？
没反应

外婆，你是不是今年还没体检呢？还是要定期检查哦。
毫无反应

可能年纪大了
有点儿耳背吧。
不对!
突然警惕
啊?
隔壁王婆婆
打麻将都不喊我,
我要去找她!
不是,窗户关着您
都听到麻将声了?
到底是您耳
背还是我
耳背……

老年性听力下降

我国第二次全国残疾人抽样调查数据显示结果如下。

我国老年性聋患者占听力障碍患者总数的34.10%。

60岁以上老年人患听力残疾的比例为11.04%。

据此推算，我国约有老年听力残疾人2 045万。

85岁以上老年人听力损失的占比为80.00%以上。

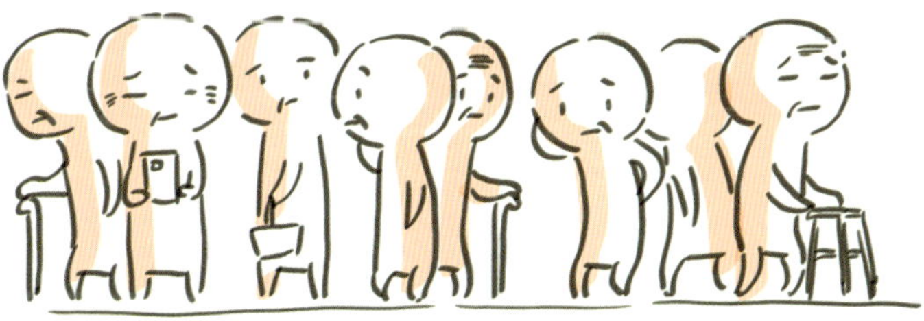

数量非常惊人。

许多老年人觉得自己的听力没有问题，可是当出现以下情况时，我们需要特别注意。

如老人听人讲话时，需要一直非常专注地倾听，身体频频向前倾，或一直没有回应。

与人交谈时常打岔，时常回答不上来或答非所问。

看电视时音量调得特别大。

自身讲话声音变大。

出现这些情况，老年人可能遇到了听力问题。

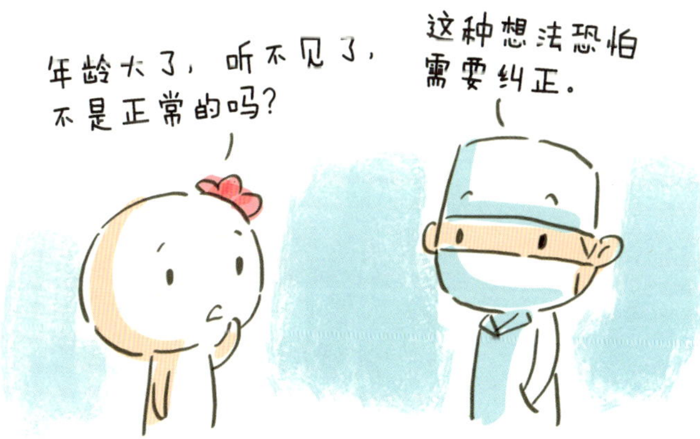
年龄大了，听不见了，不是正常的吗？
这种想法恐怕需要纠正。

第三章 老年人常见听力问题

中度以上的听力损失不仅会影响老年人与他人交流，

还会降低老年人躲避危险的能力，

导致生活质量严重下降。

听力损失的危害不仅局限于听力，还与认知障碍、耳鸣、心理疾病等有着密切关系。

不同程度的听力下降会影响大脑的神经活动，从而带来认知方面的障碍（如阿尔茨海默病）。

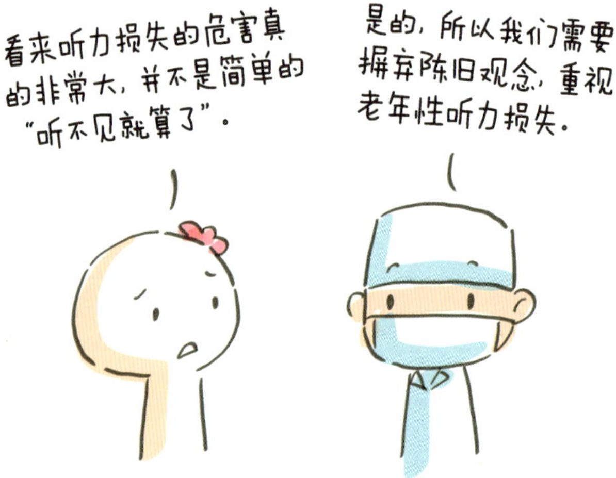

保护老年人的听力与改善生活质量、提升家庭幸福感息息相关，我们一定要给予重视，行动起来。

被忽视的“言语分辨率”

今天拿到了爷爷的听力报告，除了纯音测听外，医生还开具一个名为“言语分辨率”的检查，这是什么呢？

*纯音测听是测试听力阈值，即患者能够听得见的最小分贝数。

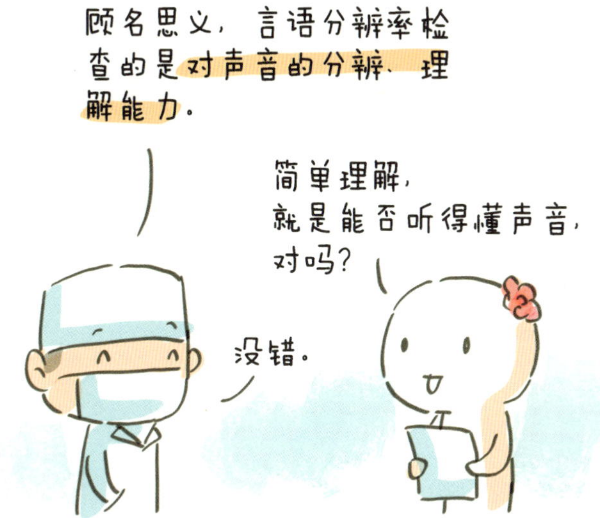

我们耳朵听见声音，还需要用大脑去分辨、理解声音，这样我们才能听得懂别人讲话的内容。

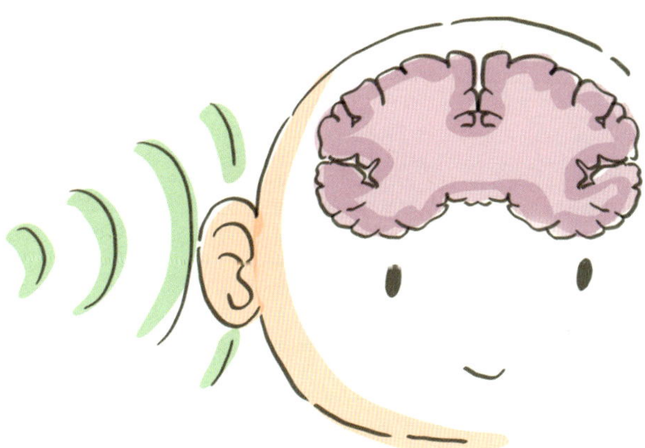

言语分辨率检查是一项对言语分辨功能的检查，即检查我们在足够大的声音刺激下，能不能听得清楚声音。

言语分辨率对日常生活及工作具有非常重要的意义。

言语分辨率是会用进废退的。

长期听力下降的人群因为长时间听不到声音，就会慢慢听不懂声音。

除此之外，病变位于听神经的疾病同样可能导致言语分辨率下降。

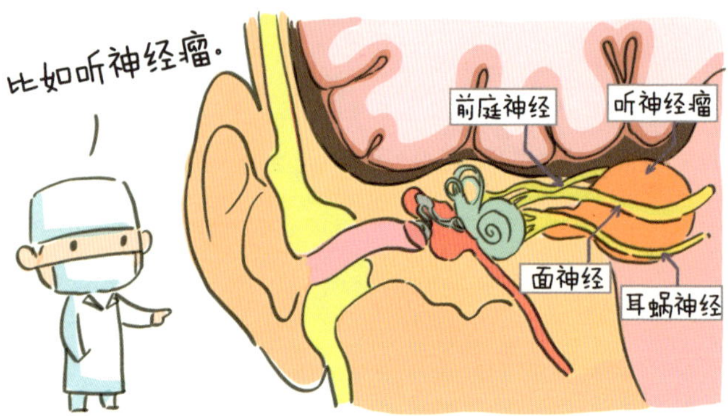

第三章 老年人常见听力问题

在老年群体中，听力下降的发病率很高，但大部分老年人讳疾忌医，往往拖至听力问题非常严重时才来就医。

这时他们的言语分辨率往往非常差，
无法与他人进行正常的沟通和交流。

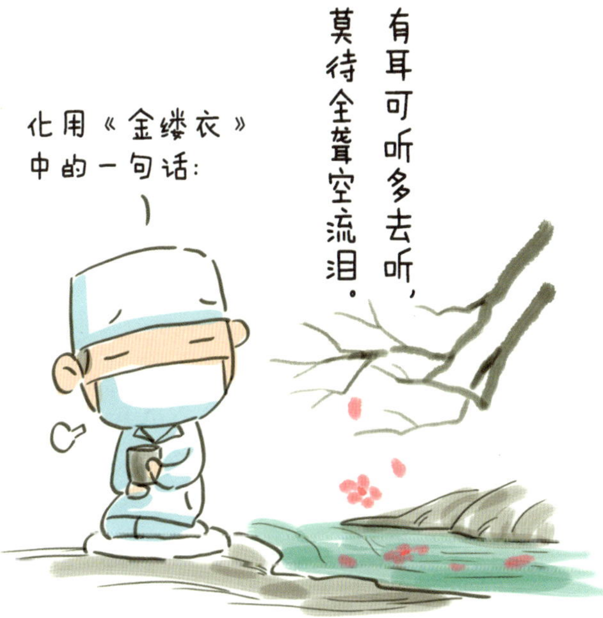
化用《金缕衣》
中的一句话:
有耳可听多去听,
莫待全聋空流泪。

早一点儿就医，才是最经济、实惠且有效的办法。
陛下能看大夫，臣甚感欣慰啊！

附录

耳朵的宫内养成记

“胎教”：顾名思义，指的是孩子在妈妈肚子里时家长对其进行的教育。胎教较常见的方式是给胎儿讲故事、听音乐。

问题来了：肚子中的胎儿那么小，真的能听见来自外界的声音吗？

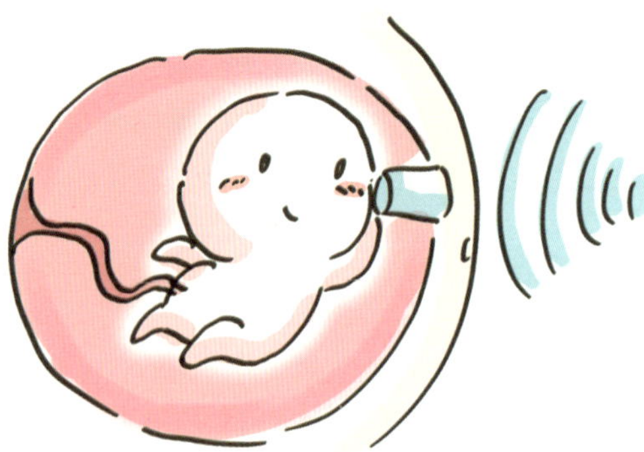

新生儿听力筛查未通过，家长担心是不是孩子太小，还没有发育成熟，医生却强调：

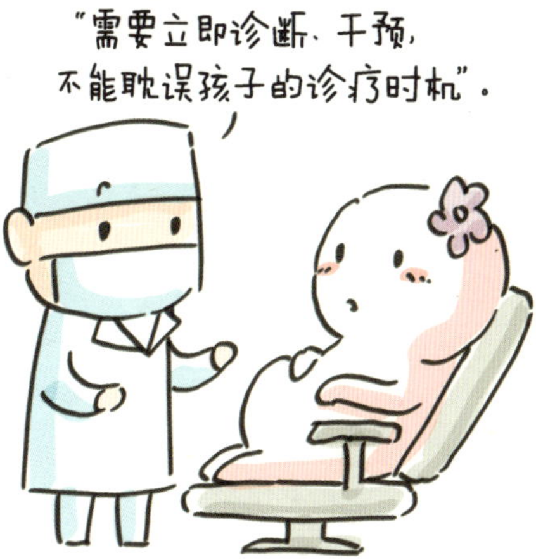

问题来了：孩子的主要听觉结构需要多久才能发育成熟呢？

我们的生命起始于受精卵，受精卵逐步在子宫内分化为胚胎。怀胎十月，就是胚胎在妈妈腹中发育的过程。随着胚胎的发育，我们的耳朵也在悄悄发育。

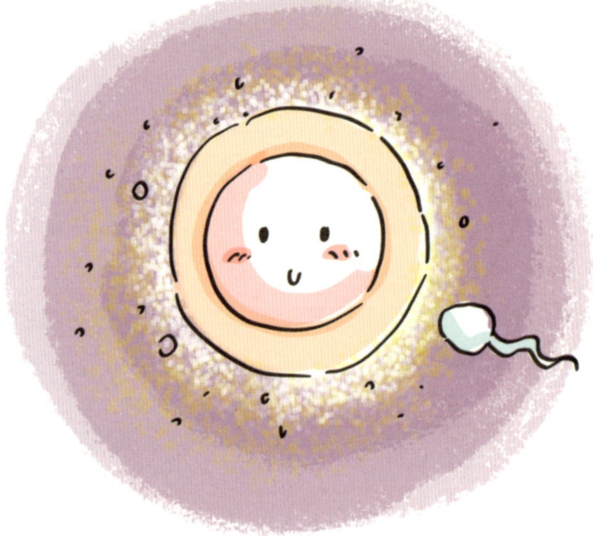

听觉系统分外耳、中耳、内耳、听神经等部分。这些部分共同构成人体的听觉和平衡功能，缺一不可。

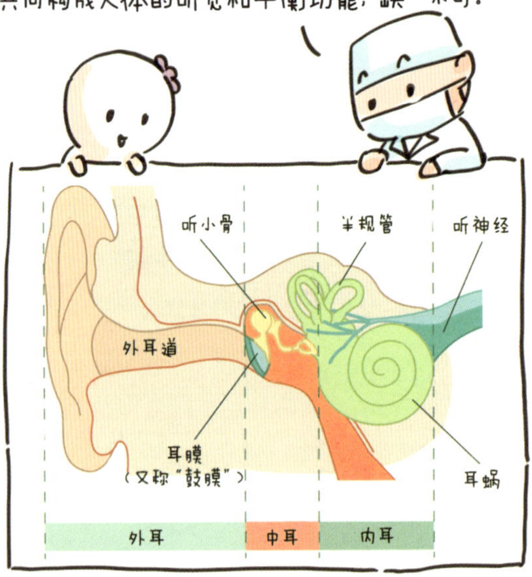

外耳部分

在妊娠第5~6周，早期的耳廓开始发育；第6周左右，外耳道开始形成（外耳源自外胚层）。

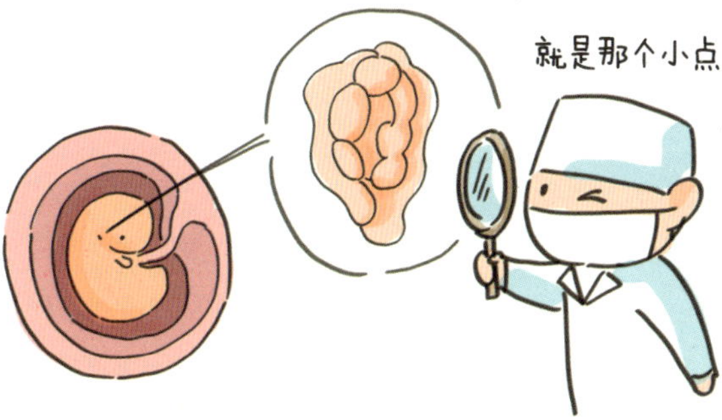

妊娠第12周，耳廓初步形态形成。

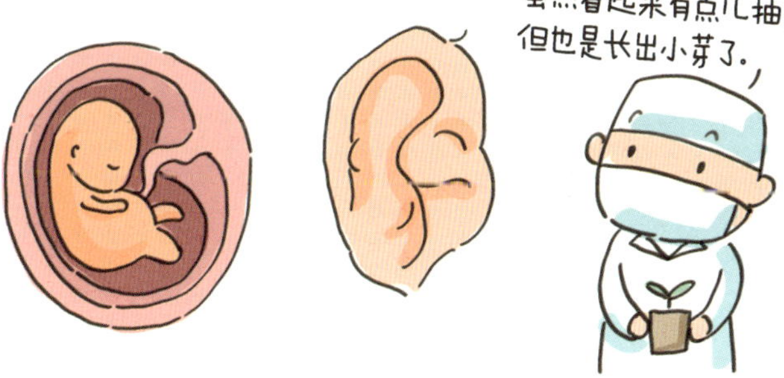

妊娠第18周，外耳道大小和形状达到成人水平；第20周，耳朵的形状达到成人水平。

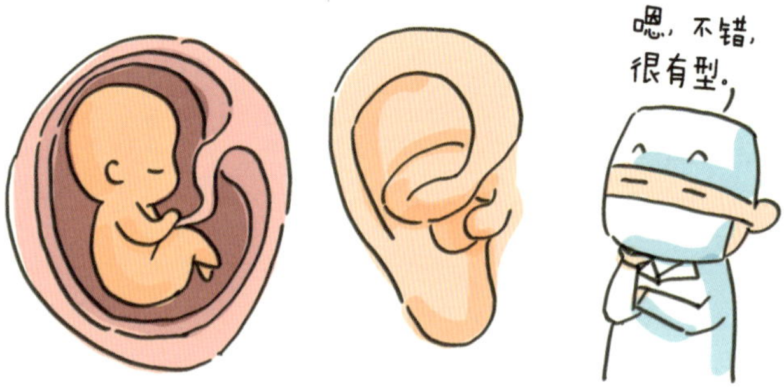

如果发育顺利，一般到妊娠第28周时，整个耳廓结构就会清晰可见，并形成正常的外耳道。

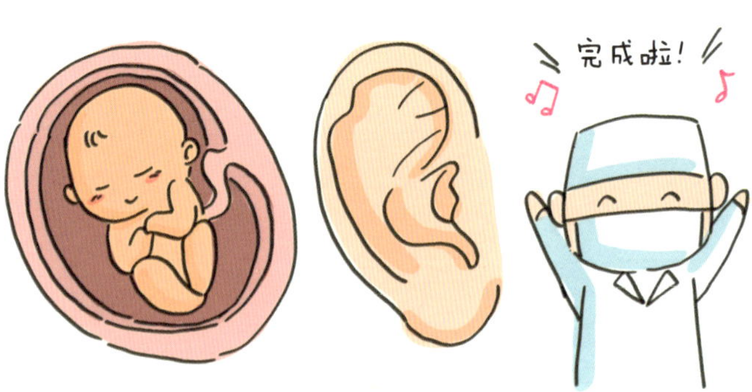

总结

外耳结构在妊娠第28周左右发育完成，此时就能通过四维彩超看到胎儿的耳朵了。

外耳发育小知识

外耳道发育晚于耳廓，因此临床上可见不合并耳廓畸形（即单独存在）的外耳道狭窄或闭锁。

耳廓发育时，颌面部也在同步发育，因此临床上常见伴颌面部异常的耳廓畸形。

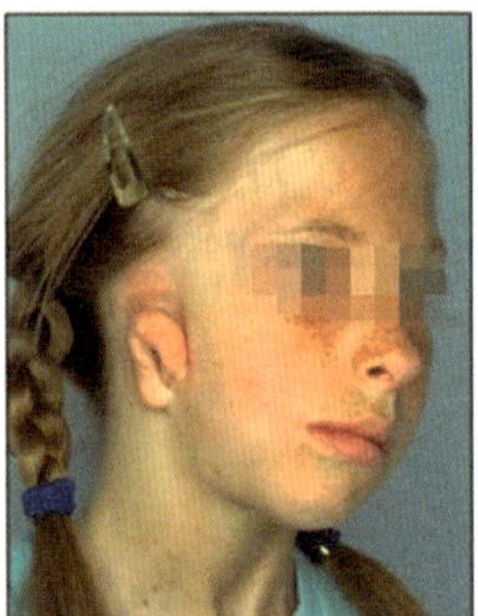

伴颌面部异常的耳廓畸形

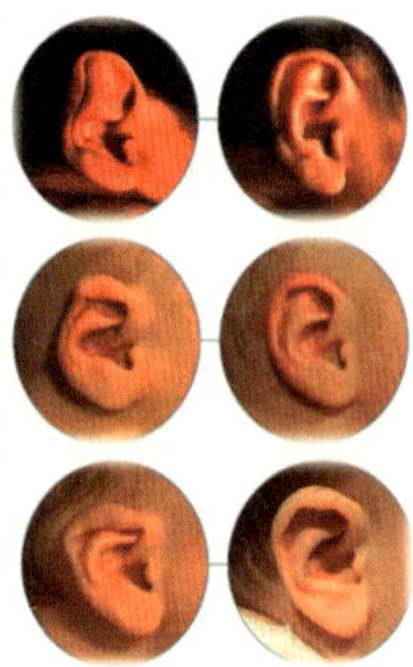

小耳畸形

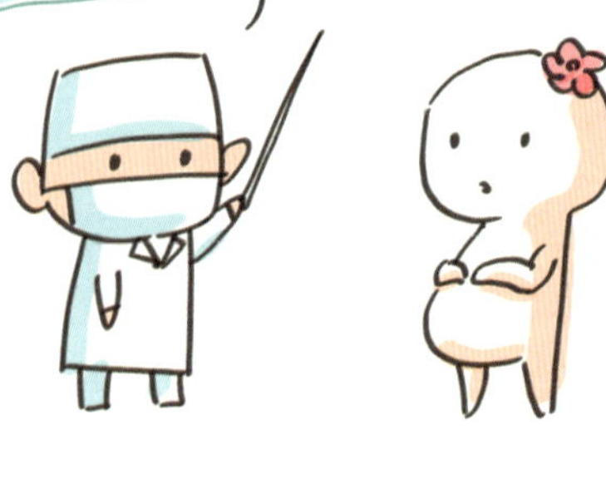

耳廓畸形是临床上常见的新生儿外耳畸形，可分为耳廓结构畸形和耳廓形态畸形。

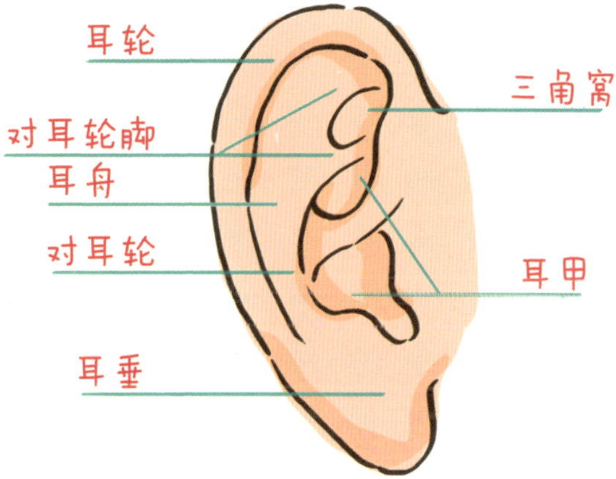

造成先天性耳廓畸形的原因很多，可能和遗传因素、孕期内外因素、产期挤压等有关。

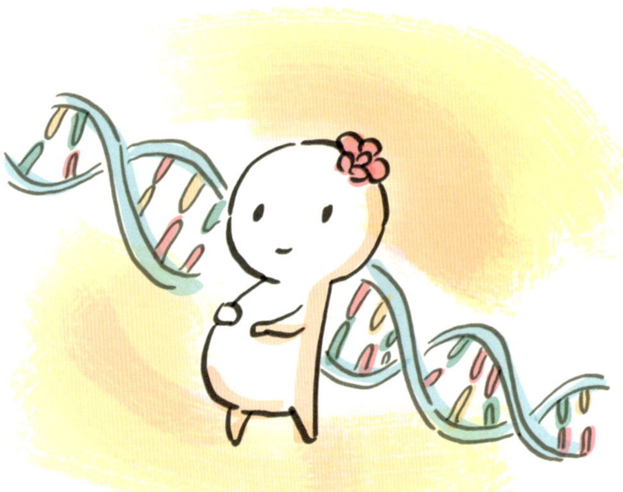

耳廓结构畸形是指耳廓的皮肤或软骨组织缺失，即家长肉眼可见小朋友的耳朵少了一块儿。

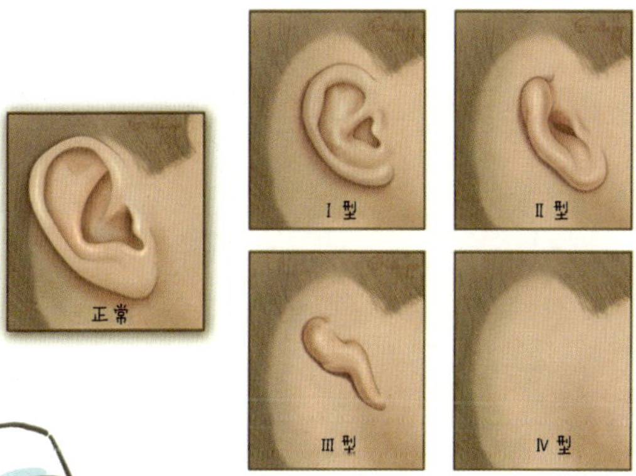

通常通过手术治疗的方式进行干预。

耳廓形态畸形是指耳廓发育完善，但形态异常，即小朋友耳朵该有的结构都是齐全的，但是看上去就是怪怪的、不太正常。

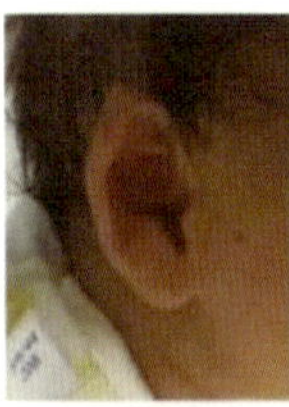

杯状耳

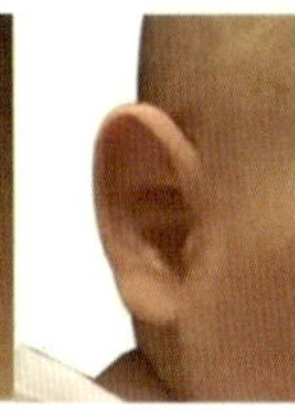

招风耳

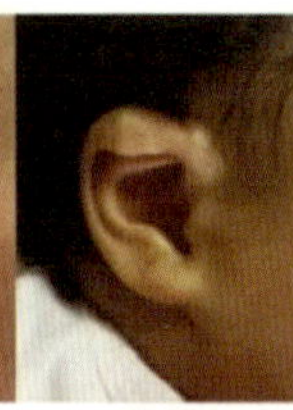

垂耳

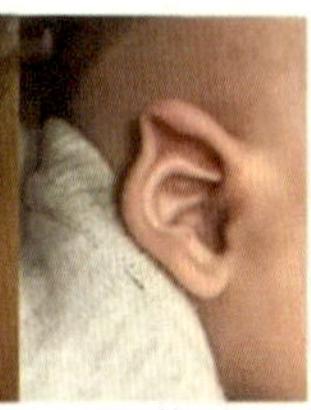

耳轮畸形

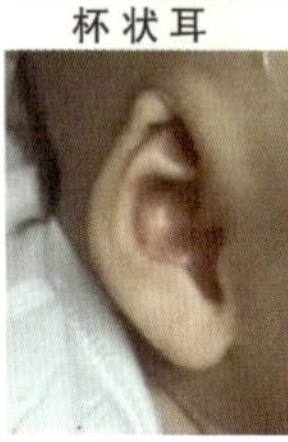

隐耳

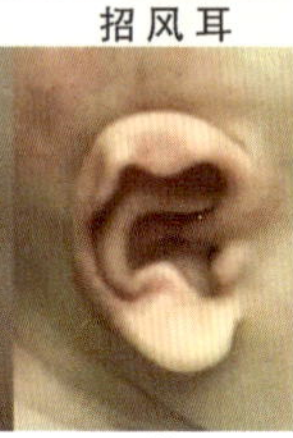

环缩耳

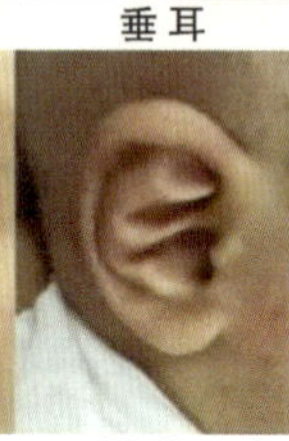

耳甲腔异常

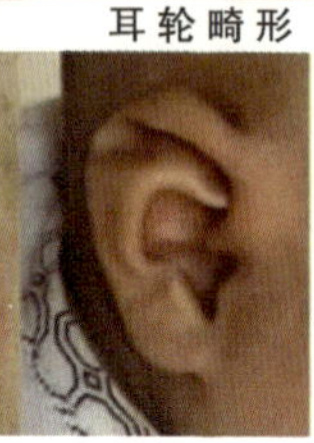

猿耳

目前，耳廓形态畸形可通过新生儿期的非手术方式（佩戴耳廓矫形器）进行干预。

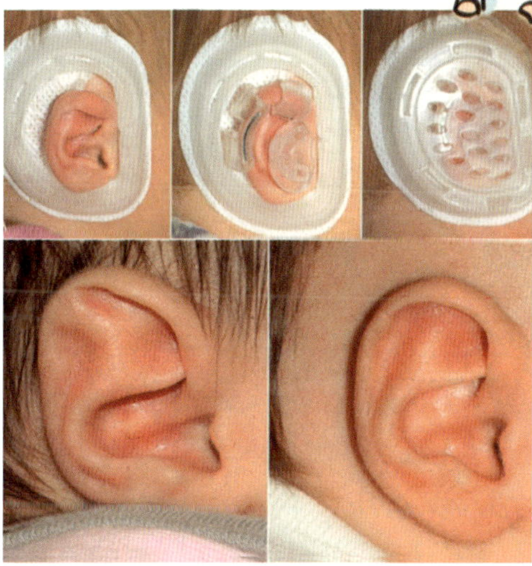

很多家长在发现新生儿耳廓畸形后，总是抱着侥幸心理，希望孩子的耳廓能“自行矫正”。

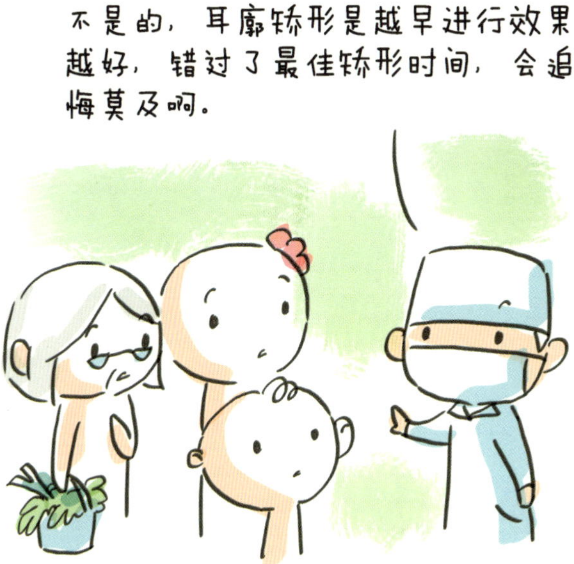

民间常见的“招风耳”“杯状耳”，很多家长认为是正常的。

其实这是耳廓畸形中的形态畸形，可以在新生儿期通过非手术方式进行纠正。

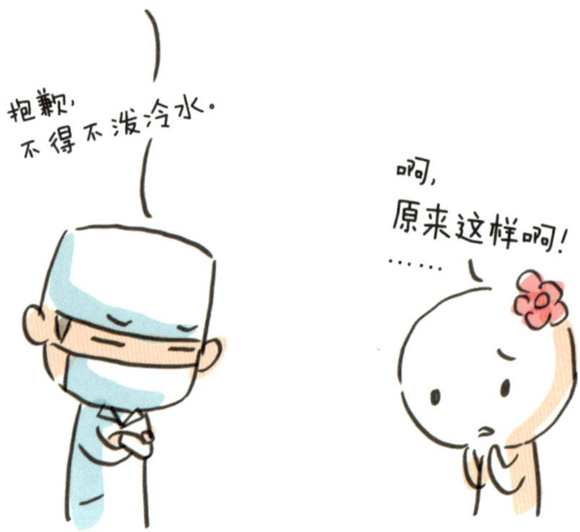

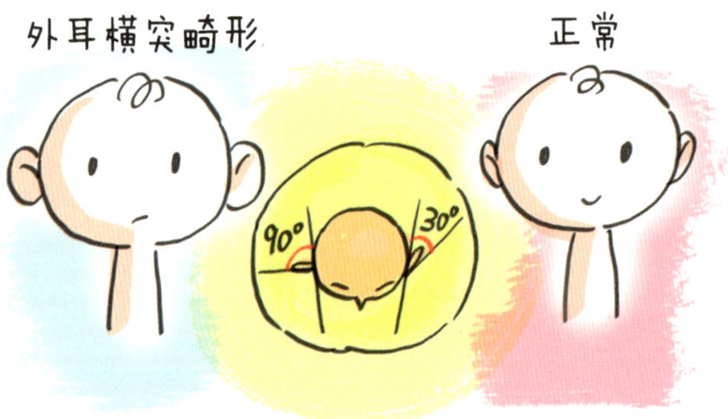

中耳部分

在妊娠第3周，中耳开始逐步发育；第8周，早期中耳腔形成，此时只有发育完全的中耳腔一半大小（中耳源自内胚层和外胚层）。

妊娠第4周

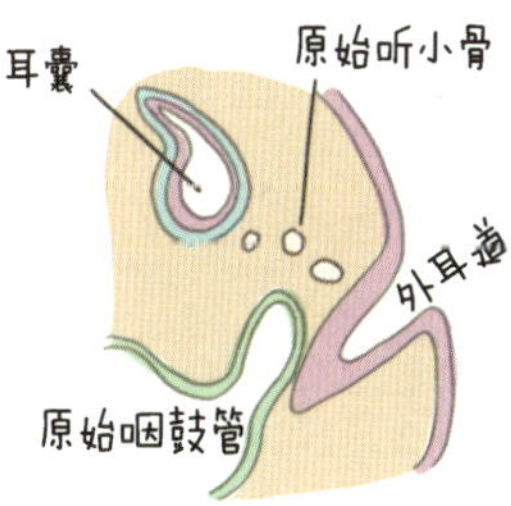

妊娠第8周

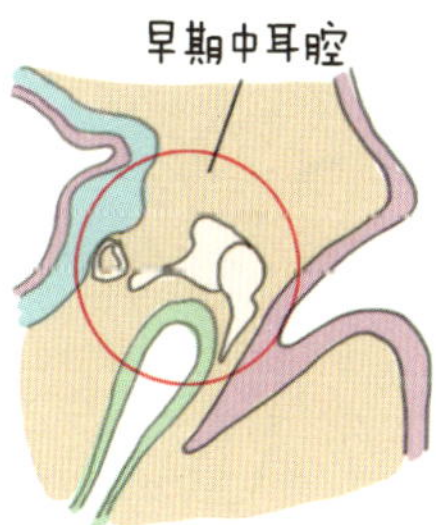

在妊娠第9~22周，听骨链开始为软骨形态，其后逐渐骨化，并快速生长到成人大小。

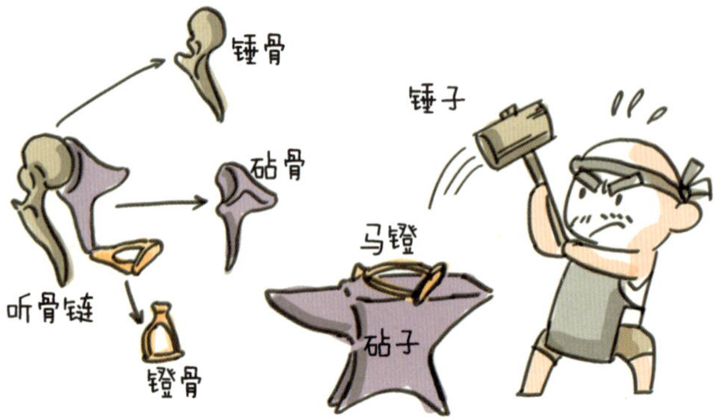

在妊娠第30周，中耳腔大致发育完全。

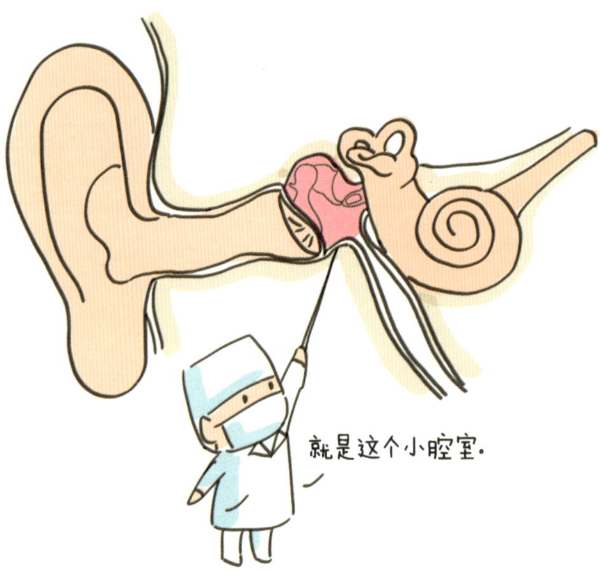

总结

中耳结构在妊娠第30周左右大致发育完成。在中耳发育过程中，位于耳朵里的人体最小巧的骨头——三块听小骨也发育完全了。

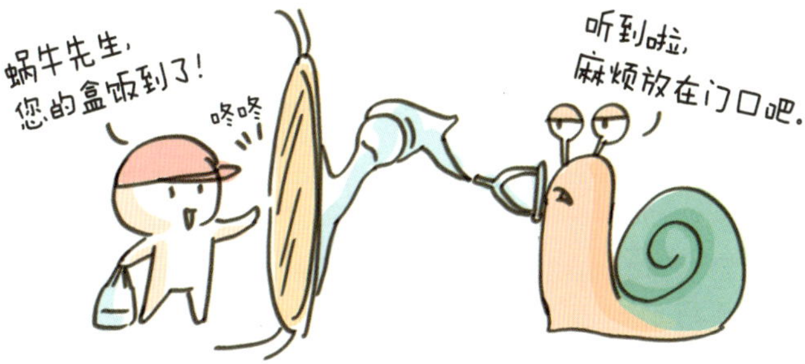

中耳发育小知识

外耳及中耳起源于相同的胚胎原基——鳃弓，因此，中耳发育异常通常伴有外耳发育异常。

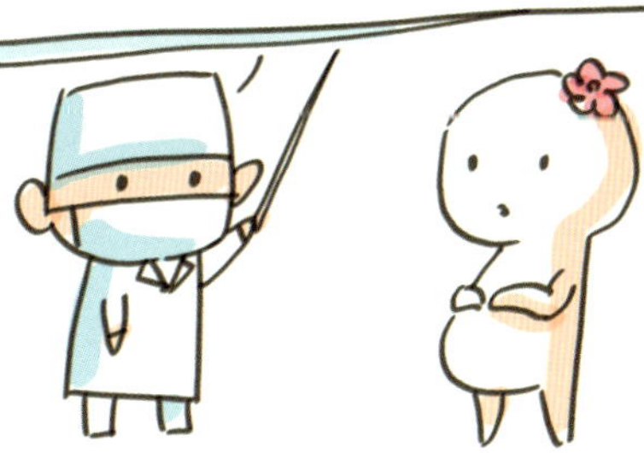

内耳部分

在妊娠第4周，一个囊状的听泡发育形成，听泡及周围间充质演变为内耳膜迷路；在妊娠第3个月，内耳膜迷路周围间充质分化成一个包绕膜迷路的软骨囊（内耳源自中胚层、外胚层）。

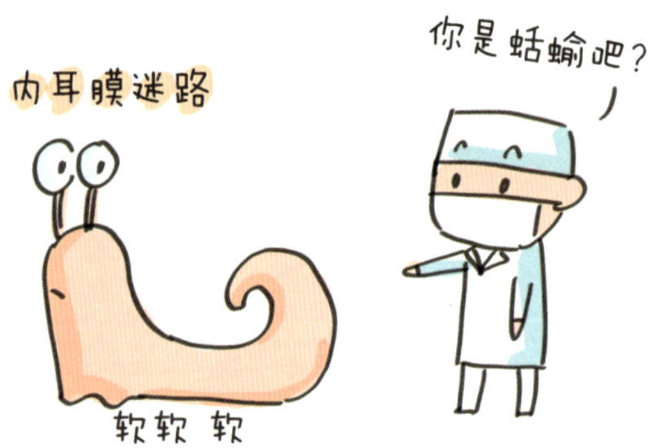

在妊娠第5个月，软骨囊开始骨化，成为骨迷路。

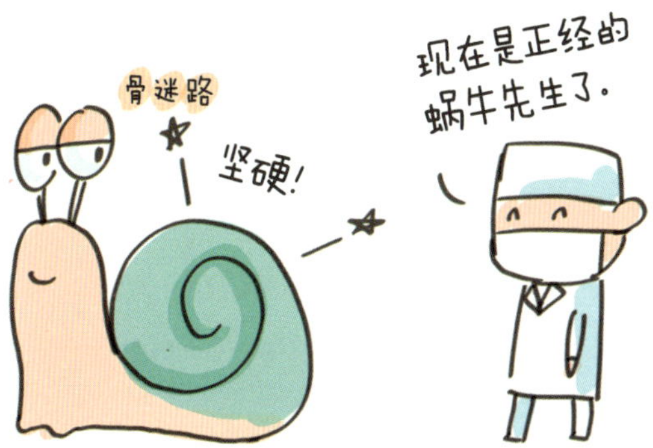

负责听见声音的柯蒂氏器在妊娠第7周左右开始分化，并在妊娠第25周分化完成。

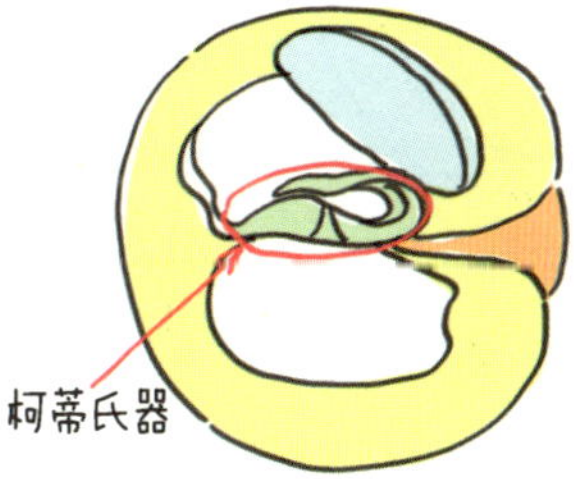

柯蒂氏器是位于耳蜗内的听觉感受器，它的上皮细胞可将听觉信号转化为神经冲动的动作电位。

总结

内耳结构中负责感受听觉的柯蒂氏器在妊娠第25周左右分化完成。
目前有研究表明，妊娠第25周左右（即柯蒂氏器分化完成后），胎儿就能够通过羊水的传导，听到母亲的心跳及胃肠道蠕动的声音啦！

总结

在妊娠第25周左右，胎儿的听觉传导通路基本建立。

相关研究表明，妊娠第27~29周胎儿能听见最小40dB的声音（正常交谈的音量），第42周胎儿能听见最小13.5dB的声音（悄悄话的音量）。

在妊娠第25周左右，胎儿就能听见妈妈胎教的声音了。

并不是妈妈说的所有悄悄话，肚子里的宝宝都能听清楚。

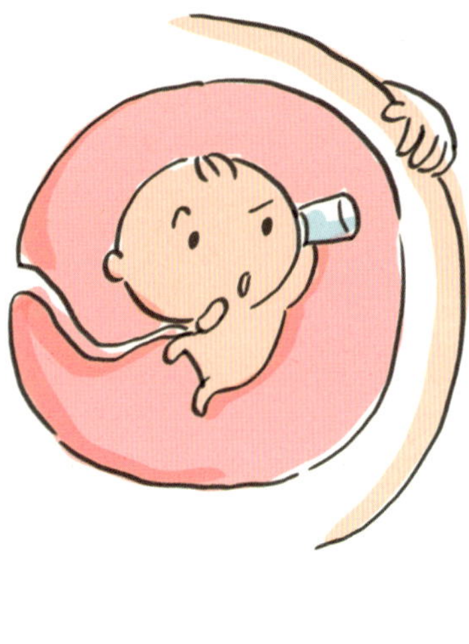

子宫并不是一个绝对安静的环境，
相反，子宫其实是一个很吵闹的地方。

子宫中充斥着妈妈产生的声音，如呼吸音、肠鸣音、妈妈说话的声音、妈妈运动的声音。

当妈妈处于安静状态且没有肠鸣音时，子宫内的背景声也不会低于28dB。

妈妈的心跳和呼吸声特别催眠。

外界的声音传到子宫内部会经过层层衰减（肚皮、羊水等），通常会衰减20dB左右。

但妈妈声音的传递效率会更高一些，
通常衰减值在8dB左右。

因此，从某种程度上讲，对胎儿来说，妈妈的声音会比其他人的声音更容易分辨。

在孕期，孕妈妈要注意谨慎用药，避免使用耳毒性药物。

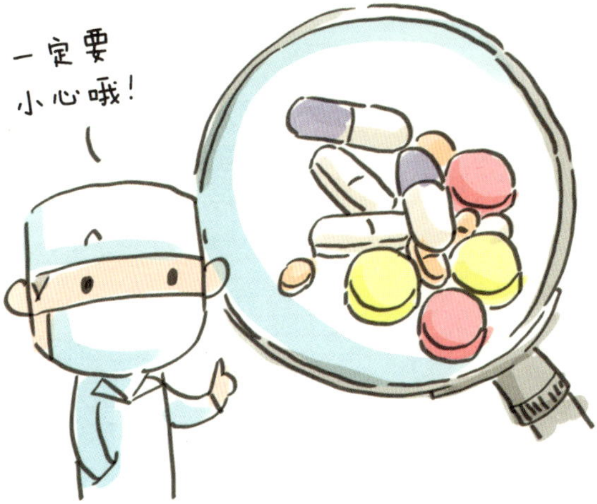

有研究表明，重度妊娠高血压等疾病同样会增加新生儿出现听力损失的概率。

所以，新生儿查出听力问题千万别拖延，要及时就诊！

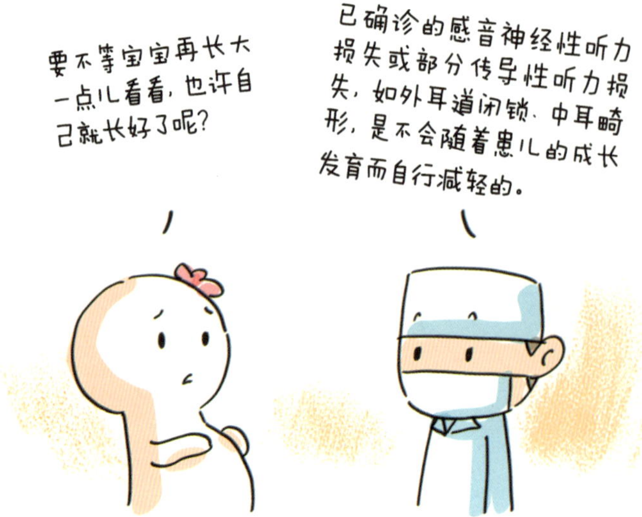

不同听力情况，拥有不同的干预手段及康复计划！一切以就诊后的医生建议为准。